for David
best from

CRITIQUE
DE LA
CRITIQUE

DU MÊME AUTEUR

AUX MÊMES ÉDITIONS

Introduction à la littérature fantastique
coll. Poétique et coll. Points

Poétique de la prose
coll. Poétique et coll. Points

Dictionnaire encyclopédique des sciences du langage
avec O. Ducrot

Poétique
coll. Points

Théories du symbole
coll. Poétique

Symbolisme et Interprétation
coll. Poétique

Les Genres du discours
coll. Poétique

Mikhaïl Bakhtine le principe dialogique
coll. Poétique

La Conquête de l'Amérique

CHEZ D'AUTRES ÉDITEURS

Littérature et Signification
Larousse

Grammaire du Décaméron
Mouton

Goethe sur l'art
Préface à Goethe, *Écrits sur l'art*
Klincksieck

TZVETAN TODOROV

CRITIQUE DE LA CRITIQUE

UN ROMAN
D'APPRENTISSAGE

ÉDITIONS DU SEUIL
27, rue Jacob, Paris VIᵉ

CE LIVRE
EST PUBLIÉ DANS LA COLLECTION
POÉTIQUE
DIRIGÉE PAR GÉRARD GENETTE
ET TZVETAN TODOROV

ISBN 2-02-008510-0

Explications liminaires

Les Français ne lisent pas, paraît-il. Et encore, quand on établit ces statistiques accablantes, on mélange pêle-mêle haute et basse littérature, guides touristiques et livres de cuisine. Les livres sur les livres, autrement dits critiques, n'attirent l'attention que d'une petite minorité de ce groupe déjà bien maigre : quelques étudiants, quelques passionnés. Mais la critique de la critique, c'est un comble, signe de la futilité des temps, sans doute : qui pourrait trouver quelque intérêt à cela?

Je pourrais défendre le sujet de mon livre en arguant que la critique n'est pas un appendice superficiel de la littérature, mais son double nécessaire (le texte ne peut jamais *dire* toute sa vérité), ou que le comportement interprétatif est infiniment plus commun que n'est la critique, et que, du coup, l'intérêt de celle-ci est, en quelque sorte, de le professionnaliser, de mettre en évidence ce qui n'est ailleurs que pratique inconsciente. Mais ces arguments, bons en eux-mêmes, ne me concernent pas ici : mon propos n'est pas de défendre ou de fonder la critique.

Quel est-il alors?

Mon intérêt se porte sur deux sujets emboîtés et, dans chacun d'entre eux, je poursuis un objectif double.

D'abord, je voudrais observer comment on a pensé à la littérature et à la critique au XXᵉ siècle; et, *en même temps*, chercher à savoir à quoi ressemblerait une pensée juste de la littérature et de la critique.

Ensuite, je voudrais analyser les grands courants idéologiques de cette époque, tels qu'ils se manifestent à travers la réflexion sur la littérature; et, *en même temps*, chercher à savoir quelle position idéologique est plus défendable que les autres. Le choix de la réflexion critique est, dans la perspective de ce second sujet, contingent : il se trouve que cette tradition m'est familière; autrement, l'histoire de la sociologie, par exemple, ou celle des idées politiques auraient pu servir aussi bien pour me permettre d'accéder à ces questions plus générales. Cette recherche d'une position idéologique qui me soit propre vient en dernier dans mon énumération, mais c'est elle qui fonde et peut-être même motive toutes les autres interrogations.

Pour dire les choses un peu vite, il sera question dans ce livre à la fois du sens de quelques ouvrages critiques du xxᵉ siècle et de la possibilité de s'opposer au nihilisme sans cesser d'être athée.

Comment expliquer le besoin ressenti de traiter simultanément deux sujets, de surcroît chacun dédoublé à l'intérieur? Renoncer à la généralité et au jugement m'aurait semblé naïf ou malhonnête, c'eût été arrêter l'enquête à mi-chemin. Renoncer à la matière particulière et à son interrogation détaillée m'aurait placé du côté de ceux qui possèdent la vérité, et dont le seul souci est de trouver comment l'exposer pour mieux l'imposer. Or, pour ma part, je me contente de la chercher (c'est déjà assez ambitieux) et j'en suis venu à croire que la forme la plus appropriée à cette recherche est un genre hybride : un récit – mais exemplaire; en l'occurrence, l'histoire d'une aventure de l'esprit, la réflexion sur la littérature au xxᵉ siècle, à travers laquelle se lit en transparence une recherche de la vérité. Un récit exemplaire que je propose, plutôt que je ne l'impose, pour inciter mon interlocuteur à la réflexion, autrement dit pour entamer une discussion.

Le choix des auteurs dont je parle a dépendu de plusieurs critères objectifs et subjectifs.

La période de l'histoire à laquelle je m'intéresse est celle du milieu du xxᵉ siècle, à peu près entre 1920 et 1980; tous les auteurs analysés (à l'exception d'un, Döblin) sont nés entre 1890 et 1920; ils appartiennent à la génération de mes parents.

Je me suis limité ensuite à des textes rédigés en français, anglais, allemand, et russe, et j'ai laissé de côté les autres.

J'ai aussi cherché la variété. J'analyse des représentants de divers courants critiques, et même de différentes familles d'esprit : des historiens à côté des auteurs systématiques et scientifiques, des penseurs religieux et des militants politiques, des essayistes comme des écrivains.

Mais ce genre de considérations ne suffit évidemment pas à expliquer pourquoi j'ai retenu une dizaine de noms parmi des centaines possibles. J'ai bien entendu tenu compte de la notoriété publique, mais elle ne suffit pas non plus à expliquer mon choix. La seule vraie explication est celle-ci : j'ai choisi les auteurs par lesquels je me sens le plus atteint. Je ne parle pas de Freud, ni de Lukács, ni de Heidegger, et j'ai peut-être tort; mais c'est que leur réflexion, remarquable en elle-même, ne provoque pas en moi des réactions que je juge moi-même intéressantes. Et comme l'exhaustivité n'est nullement mon but, mais seulement une certaine représentativité, je pense que ce critère de correspondance secrète, de dialogue possible, est légitime. Certains des auteurs dont je parle me sont aujourd'hui plus proches que d'autres, cela est incontestable; mais ils m'ont tous enthousiasmé, à un moment ou à un autre, et je continue à les admirer tous.

Je dois enfin ajouter un mot plus personnel. Ce livre représente le dernier volet d'une recherche entamée il y a quelques années par *Théories du symbole* (1977) et *Symbolisme et Interprétation* (1978); son projet initial leur est contemporain. Entre-temps, un autre thème, celui de l'altérité, est venu au centre de mon attention. Il a non seulement retardé la réalisation de l'ancien projet, mais y a aussi entraîné des modifications intérieures. Néanmoins, le cadre proposé dans les deux premiers livres reste présent ici à l'arrière-plan; c'est pourquoi je voudrais en rappeler quelques éléments essentiels.

II

Il ne suffit pas de choisir des auteurs du xxᵉ siècle pour s'assurer de la modernité de leur pensée. A tout instant du temps coexistent des moments du passé plus ou moins lointain, du présent et même du futur. Si je veux interroger la pensée critique représentative de ce siècle, l'objectivité chronologique est insuffisante; il faut de plus s'assurer que les auteurs en question ne se contentent pas de répéter les idées reçues et de confirmer la tradition, mais qu'ils expriment ce qui est spécifique à leur époque. Pour opérer ce partage, il devient nécessaire de dresser un tableau, serait-il général et sommaire, de cet héritage du passé auquel ils se confrontent.

Nos idées sur la littérature et le commentaire ne sont pas de tous les temps. La constitution même de la notion « littérature », avec son contenu actuel, est un fait récent (de la fin du XVIIIe siècle). Avant, on reconnaît bien les grands genres (poésie, épopée, drame) ainsi que les petits, mais l'ensemble dans lequel ils sont inclus est quelque chose de plus vaste que notre littérature. La « littérature » est née d'une opposition avec le langage utilitaire, lequel trouve sa justification en dehors de lui-même ; par contraste, elle est un discours qui se suffit à lui-même. En conséquence, les relations entre les œuvres et ce qu'elles désignent, ou expriment, ou enseignent, c'est-à-dire entre elles et tout ce qui leur est extérieur, seront dévalorisées ; en revanche, une attention soutenue sera portée à la structure de l'œuvre elle-même, à l'entrelacement interne de ses épisodes, thèmes, images. Depuis les romantiques jusqu'aux surréalistes et au Nouveau Roman, les écoles littéraires se réclameront de ces quelques principes essentiels, tout en divergeant dans les détails ou dans le choix du vocabulaire. Lorsque le poète Archibald McLeish écrit dans un poème programmatique :

> Un poème ne doit pas signifier
> Mais être,

il ne fait que pousser à l'extrême ce penchant pour l'immanence : le sens même est perçu comme trop extérieur.

Saint Augustin, auteur représentatif de la manière de penser « classique », formulait, dans *la Doctrine chrétienne*, une opposition fondamentale, celle entre user et jouir :

> Jouir, en effet, c'est s'attacher à une chose par amour pour elle-même. User, au contraire, c'est ramener l'objet dont on fait usage à l'objet qu'on aime, si toutefois il est digne d'être aimé (I, IV, 4 [1]).

---

1. Toutes les références – qui, sauf indication contraire, renvoient aux éditions originales – apparaîtront dans le texte, parfois en abrégé. On trouvera en fin d'ouvrage une liste des références complètes, avec indication des traductions françaises existantes.

Cette distinction a un prolongement théologique : en fin de compte, aucune chose hormis Dieu ne mérite que l'on en jouisse, qu'on la chérisse pour elle-même. Augustin développe cette idée en parlant de l'amour que l'homme peut porter à l'homme :

> Il s'agit de savoir si l'homme doit être aimé par l'homme pour lui-même ou pour autre chose. Si c'est pour lui-même, nous en jouissons, si c'est pour autre chose, nous en usons. Or il me paraît à moi qu'il doit être aimé pour autre chose. Car c'est en l'Être qui doit être aimé pour lui-même que se trouve le bonheur. Bien que nous n'ayons pas ce bonheur dans sa réalité, l'espoir de le posséder nous console pourtant ici-bas. Mais maudit est celui qui met son espérance dans l'homme. Toutefois, à l'examiner avec précision, nul ne doit aller jusqu'à jouir de lui-même; car son devoir est de s'aimer non pas pour lui-même mais pour Celui dont il doit jouir (I, XXII, 20-21).

Chez Karl Philipp Moritz, un des premiers porte-parole de la révolution « romantique » à la fin du XVIIIe siècle, la hiérarchie se trouve remplacée par la démocratie, la soumission par l'égalité; toute création peut et doit devenir objet de jouissance. A la même question – l'homme peut-il devenir objet de jouissance? –, Moritz répond par un éloge de l'homme :

> L'homme doit apprendre à éprouver de nouveau qu'il est là pour lui-même – il doit sentir que, dans tout être pensant, le tout est là en vue de chaque particulier, exactement comme chaque particulier est là en vue du tout. On ne doit jamais considérer l'homme particulier comme un être purement *utile,* mais aussi comme un être *noble,* qui a sa propre valeur en lui-même. L'esprit de l'homme est un tout accompli en soi (*Schriften...*, p. 15-16).

Ainsi s'inaugure la nouvelle société de jouissance. Quelques années plus tard, Friedrich Schlegel mettra en évidence la continuité de l'esthétique, non plus avec le théologique, mais avec le politique :

> La poésie est un discours républicain, un discours qui est à lui-même sa propre loi et sa propre fin, et dont toutes les parties sont des citoyens libres ayant le droit de se prononcer pour s'accorder (« Fragments » du *Lyceum,* 65).

11

Il s'agit donc d'une conception *immanente* de la littérature, qui est en accord avec l'idéologie dominante de l'époque moderne (j'emploie le terme « idéologie » au sens de système d'idées, de croyances, de valeurs, communes aux membres d'une société, sans l'opposer à la conscience, ou à la science, ou à la vérité, etc.). Est-ce encore d'esthétique que parle Novalis lorsqu'il déclare : « Nous ne vivons plus à l'époque où dominaient des formes universellement admises » ? Le remplacement de la recherche d'une transcendance par l'affirmation du droit de chaque individu de se juger en fonction de ses propres critères touche aussi bien l'éthique et le politique que l'esthétique : les Temps modernes seront marqués par l'avènement de l'individualisme et du relativisme. Dire que l'œuvre est régie par sa seule cohérence interne, et sans référence à des absolus extérieurs, que ses sens sont infinis et non hiérarchisés, c'est aussi participer de cette idéologie moderne.

Notre idée du commentaire a subi une évolution parallèle. Rien ne marque mieux la rupture avec les conceptions antérieures que l'exigence, formulée par Spinoza dans le *Traité théologico-politique*, de renoncer à chercher la vérité des textes pour ne plus se préoccuper que de leur sens. Plus exactement, Spinoza, fort de sa séparation entre foi et raison et donc entre vérité (serait-elle religieuse) et sens (des livres saints, en l'occurrence), commence par dénoncer la répartition entre moyens et fin dans la stratégie patristique antérieure :

> La plupart des interprètes posent en principe (pour l'entendre clairement et en deviner le vrai sens) que l'Écriture est partout vraie et divine, alors que ce devrait être la conclusion d'un examen sévère, ne laissant subsister en elle aucune obscurité; ce que son étude nous démontrerait bien mieux, sans le secours d'aucune fiction humaine, ils le posent d'abord comme règle d'interprétation (« Préface », p. 24).

La critique de Spinoza est de structure et non de contenu : il ne s'agit pas de remplacer une vérité par une autre, mais de changer la vérité de place, dans le travail d'interprétation : loin de pouvoir servir comme principe conducteur à celui-ci, le sens nouveau doit en être le résultat; et on ne peut chercher une chose à l'aide de cette chose même. La recherche du sens d'un texte doit s'accomplir sans référence à sa vérité. La philologie du XIXᵉ siècle fera sien ce postulat de Spinoza et, bien que le combat ait perdu de son actualité, un Boeckh trouve nécessaire de dire, dans son *Encyclopädie und Methodologie der philologischen Wissenschaften* (1886) :

> Il est tout à fait anhistorique de prescrire, dans l'interprétation de la Sainte Écriture, que tout doit être expliqué selon l'*analogia fidei et doctrinæ*; ici la mesure qui doit guider l'interprétation n'est pas elle-même fermement établie, car la doctrine religieuse, née de l'explication de l'Écriture, a pris des formes très différentes. L'interprétation historique doit établir uniquement ce que veulent dire les œuvres de langage, peu importe que ce soit vrai ou faux (p. 120-121).

On voit comment s'est opéré un glissement insensible : on commence par renoncer à se servir d'un savoir préalable sur la vérité du texte comme d'un moyen pour l'interpréter; on finit par déclarer non pertinente toute question ayant trait à sa vérité. Par « vérité », il faut entendre ici non une adéquation factuelle, de toutes les façons impossible à établir dans le cas de la Bible, mais la vérité humaine générale, la justice et la sagesse. Après Spinoza, le commentaire n'a plus à se demander : « cet écrit parle-t-il juste? », mais seulement : « que dit-il exactement? ». Le commentaire est, lui aussi, devenu immanent : en l'absence de toute transcendance commune, chaque texte sera son propre cadre de référence, et la tâche du critique s'épuisera dans l'éclaircissement de son sens, dans la description des formes et des fonctionnements textuels, loin de tout jugement de valeur. Du coup, une rupture qualitative s'établit entre le texte étudié et le texte de l'étude. Si le commentaire se préoccupait de vérité, il se situerait au même niveau que l'œuvre commentée et les deux porteraient sur le même objet. Mais la différence entre les deux est radicale et le texte étudié devient un objet (un langage-objet), le commentaire accédant à la catégorie du métalangage.

Là encore, la diversité des vocabulaires, comme le fait que l'accent est mis sur telle ou telle partie du programme, contribue à cacher l'unité d'une tradition qui domine le commentaire en Europe depuis plusieurs siècles. Ce qui vient aujourd'hui à l'esprit comme incarnation centrale de ce projet est la critique structurale, qu'elle ait pour objet les thèmes (explorations de l'imaginaire, des obsessions conscientes ou inconscientes) ou le système expressif lui-même (procédés narratifs, figures, style). Mais la critique historique et philologique, telle qu'on la pratique depuis le xixe siècle, est également fidèle au projet immanentiste, puisque le sens de chaque texte ne peut être établi que par référence à son contexte particulier et que la tâche du philologue est d'expliciter ce sens sans porter aucun jugement là-dessus. Plus près de nous, la critique d'inspiration nihiliste (et non plus positiviste, comme la philologie), qui démontre que tout est interprétation et que l'écrivain s'emploie à subvertir sa propre idéologie, reste encore à l'intérieur du même programme, en rendant plus chimérique que jamais tout espoir d'accéder à la vérité.

On perçoit peut-être mieux à présent l'enjeu du débat. La réflexion sur la littérature et la critique participe des mouvements idéologiques qui dominent la vie intellectuelle (et pas seulement intellectuelle) en Europe, pendant ce qu'il est convenu d'appeler l'époque moderne. Jadis, on croyait à l'existence d'une vérité absolue et commune, d'un étalon universel (il s'est trouvé coïncider pendant plusieurs siècles avec la doctrine chrétienne). L'effondrement de cette croyance, la reconnaissance de la diversité et de l'égalité des hommes conduisent au relativisme et à l'individualisme, et finalement au nihilisme.

Je suis maintenant en état de préciser la nature de la pensée que je recherche dans la réflexion contemporaine sur la littérature : mon intérêt principal se portera sur tout ce qui permet de dépasser la dichotomie ainsi esquissée. Plus exactement encore, je chercherai, chez les auteurs que j'analyse, des éléments de doctrine qui mettent en question l'esthétique et l'idéologie « romantiques », sans constituer pour autant un retour aux dogmes « classiques ».

Cet usage des mots mis entre guillemets, et en particulier de « romantique », dont je me servirai fréquemment, demande quelques explications. C'est qu'il y a plusieurs différences évidentes entre le sens donné ici à ce terme et celui qu'il prend lorsqu'il désigne le mouvement artistique du xixe siècle. D'une part, j'inclus sous ce vocable des phénomènes et des idées qui n'ont pas été associés au groupe romantique, ainsi de l'histori-

14

cisme ou du réalisme. D'autre part, j'écarte du sens de ce terme des connotations qui lui sont fréquemment attachées, notamment une valorisation de l'irrationnel et l'aspiration de l'artiste à incarner l'absolu.

L'explication de la discordance entre le sens courant et le sens ici retenu de « romantisme » est simple : je parle de ce que je crois être l'idéal type du mouvement plutôt que du phénomène historique en lui-même. Le romantisme historique et à plus forte raison le XIXe siècle sont, sur le plan idéologique, des complexes hétérogènes où coexistent, en formant des hiérarchies diverses, des éléments disparates, voire contradictoires. En même temps, je tiens à employer ce terme, car c'est bien dans un groupe romantique – le premier, celui d'Iéna, qui réunissait les frères Schlegel, Novalis, Schelling et quelques autres – qu'ont été formulées, avec originalité et force, les principales idées de l'esthétique moderne.

Chacun des chapitres qui suivent est donc construit sur le même modèle : je cherche à repérer d'abord ce que l'auteur analysé doit à l'idéologie romantique; je m'attache ensuite aux éléments de sa pensée qui, intentionnellement ou non, contestent ce cadre, et le dépassent. Le dernier chapitre a un caractère à première vue différent, puisque je m'y prends moi-même comme objet, tout en essayant de rassembler les acquis des chapitres précédents. Mais cette différence n'est que de surface; d'un certain point de vue, ces autres chapitres, eux aussi, racontent ma propre histoire : j'ai été, je suis ce « romantique » qui essaie de penser le dépassement du romantisme à travers l'analyse d'auteurs auxquels je me suis successivement identifié. Le mouvement répété dans chaque chapitre se combine donc avec un autre, qui est de gradation, et qui culmine à la fin – sans que cette culmination soit pour autant une synthèse. Autrement dit, ce qui suit n'est qu'un roman – inachevé – d'apprentissage.

Le langage poétique
(Les Formalistes russes)

Mon attitude à l'égard des Formalistes russes (j'emploie la majuscule quand je parle de ce groupe particulier) a changé plusieurs fois, ce qui n'est après tout pas étonnant, puisqu'ils me sont devenus familiers il y a maintenant plus de vingt ans. La première impression, c'était cette découverte : on pouvait parler de la littérature d'une manière gaie, irrévérencieuse, inventive; ces textes traitaient en même temps de ce dont personne ne semblait se soucier, et qui m'avait pourtant toujours paru essentiel, ce qu'on désignait par une expression un peu condescendante : la « technique littéraire ». C'est cet émerveillement qui m'avait conduit à chercher un texte après l'autre (ce n'était pas toujours chose facile), puis à les traduire en français. Dans un deuxième temps, j'ai cru lire dans leurs écrits la présence d'un projet « théorique », celui de la constitution d'une poétique, mais qui n'était pas forcément cohérent (et pour cause : il y avait plusieurs auteurs qui avaient écrit pendant une quinzaine d'années), ni conduit jusqu'au bout; c'était donc un travail de systématisation et de radicalisation qui s'imposait. Enfin, au cours d'une troisième période, j'ai commencé à percevoir les Formalistes comme un phénomène historique : ce n'était plus tant le contenu de leurs idées qui m'intéressait, mais leur logique interne et leur place dans l'histoire des idéologies. C'est cette dernière perspective que j'adopte aussi dans mon enquête présente, en la restreignant à une petite partie de leur activité, à savoir la définition de la littérature ou, comme ils disent plutôt, du « langage poétique ». Petite, mais complexe : c'est que, comme on va s'en apercevoir, plus d'une définition du poétique avait cours parmi eux.

I

Ce qu'on pourrait appeler la « théorie standard » du langage poétique chez les Formalistes russes apparaît sous sa forme explicite dès la première publication collective du mouvement, le premier des *Recueils sur la théorie du langage poétique* (1916), sous la plume de L. Jakoubinski, dont la participation au groupe formaliste restera marginale, mais qui à l'époque fournit une caution de linguiste aux thèses lancées par ses amis; sa contribution est donc d'importance. C'est dans un vocabulaire en gros linguistique et dans la perspective de la description globale des différents usages du langage que Jakoubinski pose ainsi les bases de sa définition du langage poétique :

> On doit classer les phénomènes linguistiques selon la fin en vue de laquelle le locuteur utilise ses représentations linguistiques dans chaque cas particulier. S'il les utilise en vue de la fin purement pratique de communication, il s'agit du système du *langage pratique* (de la pensée verbale), dans laquelle les représentations linguistiques (sons, éléments morphologiques, etc.) n'ont pas de valeur autonome et ne sont qu'un *moyen* de communication. Mais on peut penser à d'autres systèmes linguistiques (et ils existent), dans lesquels la fin pratique recule à l'arrière-plan (bien qu'elle puisse ne pas disparaître entièrement), et les représentations linguistiques acquièrent une *valeur autonome* (p. 16).

La poésie est, précisément, un exemple de ces « autres systèmes linguistiques ». Plus, même, elle en est l'exemple privilégié, de sorte qu'une équivalence peut être établie entre « poétique » et « à valeur autonome », comme en témoigne cet autre texte de Jakoubinski, publié dans le troisième recueil formaliste, *Poétique,* de 1919 :

> Il est nécessaire de distinguer les activités humaines qui ont leur valeur en elles-mêmes, des activités qui poursuivent des fins qui leur sont extérieures, et qui ont une valeur en tant que moyens pour atteindre ces fins. Si nous appelons l'activité du premier type poétique... (p. 12).

Voilà qui est simple et clair : le langage pratique trouve sa justification en dehors de lui-même, dans la transmission de la pensée ou dans la communication interhumaine; il est moyen et non fin; il est, pour employer un mot savant, *hétérotélique*. Le langage poétique en revanche trouve sa justification (et donc toute sa valeur) en lui-même; il est à lui-même sa propre fin, et non plus un moyen; il est donc autonome, ou encore *autotélique*. Cette formulation semble avoir séduit les autres membres du groupe, puisqu'on trouve dans leurs écrits, à la même époque, des phrases tout à fait analogues. Par exemple Chklovski, dans son article sur Potebnia (1919), renchérit là-dessus en traduisant l'autotélisme poétique en termes de perception (mais on verra que cette nuance n'est pas fortuite) :

> Le langage poétique se distingue du langage prosaïque par le caractère sensible de sa construction. On peut sentir ou l'aspect acoustique, ou l'aspect articulatoire, ou bien l'aspect sémasiologique. Parfois, ce n'est pas la structure des mots qui est sensible, mais leur construction, leur disposition (p. 4).

Et, la même année, dans son livre construit autour de Khlebnikov, Jakobson livre ces formules destinées à devenir célèbres, et qui restent parfaitement consonantes avec la définition de Jakoubinski :

> La poésie n'est rien d'autre qu'un *énoncé visant à l'expression*. [...] Si l'art plastique est la mise en forme du matériau des représentations visuelles à valeur autonome, si la musique est la mise en forme du matériau sonore à valeur autonome, et la chorégraphie, du matériau gestuel à valeur autonome, alors la poésie est la mise en forme du mot à valeur autonome, du mot autonome, comme dit Khlebnikov (p. 10-11).

> Cette visée de l'expression, de la masse verbale, que je qualifie de moment unique et essentiel de la poésie... (p. 41).

Dire que la poésie est un langage autonome ou autotélique revient à lui donner une définition fonctionnelle : par ce qu'elle fait plutôt que par ce qu'elle est. Quelles sont les formes linguistiques qui permettent à cette fonction de se réaliser? A quoi reconnaît-on un langage qui trouve sa fin (et sa valeur) en lui-même? Deux réponses seront proposées à ces questions dans les travaux formalistes. Dans la première, réponse en quelque sorte substantielle, on prend l'affirmation à la lettre : qu'est-ce qu'un langage qui ne renvoie à rien qui lui soit extérieur? c'est un langage réduit à sa seule matérialité, sons ou lettres, un langage qui refuse le sens. Cette réponse n'est pas le fruit d'une pure déduction logique; bien au contraire, c'est probablement sa présence préalable dans le champ idéologique de l'époque qui conduit les Formalistes à lui chercher une plus ample justification et à bâtir une théorie de la poésie comme langage autotélique. C'est que leurs spéculations théoriques sont étroitement liées à la pratique contemporaine des futuristes, elles en sont à la fois la conséquence et le fondement; et la partie la plus extrême de cette pratique est le *zaum,* langage transmental, pur signifiant, poésie des sons et des lettres en deçà des mots. La distance n'est pas grande, on l'a vu chez Jakobson, qui sépare le *samovitoe slovo* (discours autonome) de Khlebnikov (qui lui-même ne pratique qu'exceptionnellement le *zaum*), et le *samocennoe slovo* (discours à valeur autonome) des Formalistes. Commentant rétrospectivement cette période, Eikhenbaum a donc raison de voir dans le « langage trans-mental » l'expression la plus poussée de la doctrine auto-télique :

> La tendance des futuristes au « langage transmental » comme une dénudation extrême de la « valeur autonome »... (« Teorija... », p. 122).

Une dizaine d'années plus tôt, Chklovski se demandait si toute poésie n'était pas en réalité transmentale, les poètes n'ayant la plupart du temps recours au sens que pour y trouver une « motivation » – un camouflage et une excuse :

> Le poète ne se décide pas à dire le « mot transmental », habituellement on cache le transmental sous le masque d'un contenu quelconque, souvent trompeur, illusoire, qui oblige les poètes mêmes d'admettre qu'ils ne comprennent pas le sens de leurs vers. [...] Les faits rapportés nous obligent à nous demander si, dans le discours non pas ouvertement transmental mais simplement poétique, les mots ont toujours un sens, ou si cette opinion est seulement une illusion et le résultat de notre manque d'attention (« O poèzii... », p. 10-11).

Jakobson ne pensera pas autrement :

> Le langage poétique tend, à la limite, vers le mot phonétique, plus exactement, puisque la visée correspondante est en présence, vers le mot euphonique, vers la parole transmentale (p. 68).

D'autres représentants du groupe ne vont pas jusque-là, mais ils s'accordent pour reconnaître la valeur essentielle et, surtout, autonome des sons en poésie. Ainsi Jakoubinski :

> Dans la *pensée linguistique versifiée,* les sons deviennent objet de l'attention, ils révèlent leur valeur autonome, ils émergent dans le champ clair de la conscience (« O zvukakh... », p. 18-19).

Ou Brik :

> Quelle que soit la manière dont on envisage les interrelations de l'image et du son, une chose est incontestable : les sons, les consonances ne sont pas simplement un appendice euphonique, mais le résultat d'une aspiration poétique autonome (p. 60).

Mais un langage qui refuse le sens, est-ce encore du langage? N'est-ce pas oblitérer le trait essentiel du langage, son et sens, présence et absence à la fois, que de le réduire au statut de pur objet physique? Et pourquoi accorderait-on une attention intransitive à ce qui n'est que bruit? Poussée à l'extrême, cette réponse (à la question portant sur les formes du langage poétique) révèle son absurdité, et c'est pourquoi sans doute, bien que la chose ne soit pas explicitée chez les Formalistes, on passe à une seconde réponse, plus abstraite et moins littérale, plus structurale et moins substantielle, qui consiste à dire : le langage poétique réalise sa fonction autotélique (c'est-à-dire l'absence de toute fonction externe) en étant plus systématique que le langage pratique, ou quotidien. L'œuvre poétique est un discours sur-structuré, où tout se tient : c'est grâce à cela que nous le percevons en lui-même, plutôt qu'il ne renvoie à un ailleurs. C'est bien pour exclure tout recours à une extériorité par rapport au texte qu'Eikhenbaum, dans une célèbre analyse du *Manteau* de Gogol (de 1918), a recours aux métaphores de la construction et du jeu – objet ou activité caractérisés par leur cohérence interne et par le manque de finalité externe :

Pas une seule phrase de l'œuvre littéraire ne peut être, en soi, un « reflet » simple des sentiments personnels de l'auteur, mais elle est toujours construction et jeu (p. 162).

Dans une étude publiée à la même époque (« Svjaz' priëmov... »), Chklovski se réclame aussi de cette version structurale de l'autotélisme : tout n'est pas forcément langage transmental en poésie et surtout en prose; mais la prose narrative elle-même obéit aux lois de combinaison des sons, aux règles de construction responsables de l' « instrumentation » phonique.

Les méthodes et les procédés de composition du « sujet » sont semblables, et en principe identiques avec, au moins, les procédés de l'instrumentation sonore. L'œuvre verbale est une tresse de sons, de mouvements articulatoires et de pensées (p. 50).

L'affirmation du caractère systématique de l'œuvre fait donc son entrée dans la vulgate formaliste, dans les formulations les plus variées, depuis celle de Chklovski :

L'œuvre est entièrement construite. Toute sa matière est organisée (*Tretja fabrika,* p. 99),

jusqu'à celle de Tynianov :

Pour analyser ce problème fondamental [de l'évolution littéraire], il faut auparavant convenir que l'œuvre littéraire est un système, et que la littérature en est également un. C'est uniquement sur la base de cette convention que l'on peut construire une science littéraire (« O literaturnoj... », p. 33).

Jakobson passe également de l'une à l'autre réponse. On a vu déjà le rôle qu'il accordait à la poésie transmentale. Mais, à l'époque de son livre sur Khlebnikov, il a aussi recours à d'autres explications. L'une d'entre elles, qui occupe une position en somme intermédiaire, est liée dans sa formulation aux leçons de Kruszewski. Ce dernier décrit systématiquement les relations linguistiques en recourant à l'opposition entre ressemblance et contiguïté, alors courante dans les ouvrages de psychologie générale; il y ajoute un début de jugement de valeur, en se servant des termes, particulièrement chargés de sens politique en Russie, de « conservateur » et « progressiste » :

> D'un certain point de vue, le processus d'évolution de la langue apparaît comme l'antagonisme éternel entre la force progressiste, déterminée par les relations de ressemblance, et la force conservatrice, déterminée par les associations de contiguïté (*Ocherk...,* p. 116-117).

Le raisonnement de Jakobson s'enchaîne à partir de là de la manière suivante : l'hétérotélisme du langage quotidien s'accommode bien des relations de contiguïté (donc arbitraires) entre signifiant et signifié; l'autotélisme du langage poétique sera favorisé par les relations de ressemblance (motivation du signe); de surcroît, on est passé de « progressiste » à « révolutionnaire », ce qui, dans le contexte de l'époque, permet à chacun des termes, « poésie » et « révolution », de jeter sur l'autre une lueur positive :

> Dans les langages émotif et poétique, les représentations verbales (phonétiques aussi bien que sémantiques) concentrent sur elles-mêmes une attention plus grande, le lien entre le côté sonore et la signification devient plus étroit, plus intime, et, en conséquence, le langage devient plus révolutionnaire, puisque les associations habituelles de contiguïté reculent à l'arrière-plan (p. 10).

> L'association mécanique par contiguïté entre le son et le sens se réalise d'autant plus rapidement qu'elle est plus habituelle. D'où le caractère conservateur du langage quotidien. La forme du mot meurt rapidement. En poésie, le rôle de l'association mécanique est réduit au minimum (p. 41).

Ce remplacement des associations par contiguïté par des associations par ressemblance (ce que recouvre, apparemment, le rapport « plus étroit, plus intime » entre sons et sens) est en fait un renforcement du caractère systématique du discours, car la contiguïté n'est qu'un autre nom de l'arbitraire, ou de la convention non motivée. Mais, toujours dans le même écrit, Jakobson envisage aussi une autre forme de motivation, non plus entre signifiant et signifié (motivation en quelque sorte verticale), mais d'un mot à l'autre, dans la chaîne du discours (motivation « horizontale »); celle-ci, une fois de plus, va dans le sens de l'autotélisme qui définit l'énoncé poétique : « On ne perçoit la forme d'un mot à moins qu'elle ne se répète dans le système linguistique » (p. 48). C'est cette dernière manière de voir les choses qui deviendra le credo de Jakobson quarante ans plus tard, et on ne perçoit que des différences terminologiques entre la phrase de 1919 et celles, plus célèbres, qui datent des années soixante. D'une part, le langage poétique se définit par son autotélisme :

> La visée *(Einstellung)* du message en tant que tel, l'accent mis sur le message pour son propre compte, est ce qui caractérise la fonction *poétique* du langage (« Linguistique et poétique », trad. fr., p. 218).

D'autre part, l'autotélisme se manifeste par cette forme particulière de la sur-structuration qu'est la répétition :

> La fonction poétique projette le principe d'équivalence de l'axe de la sélection sur l'axe de la combinaison (p. 220).

> Sur tous les niveaux du langage, l'essence de l'artifice poétique consiste en des retours périodiques (« Le parallélisme... », trad. fr., p. 234).

Telle est la première conception formaliste du langage poétique – première non dans le temps, mais plutôt dans l'ordre d'importance. Est-ce pour autant une conception originale? On n'a jamais ignoré la filiation qui conduit aux futuristes russes. Mais c'est là un rapport immédiat qui masque plutôt qu'il ne révèle le véritable enracinement idéologique des théories formalistes. Pourtant, Jirmunski l'avait indiqué dès le début des années vingt (dans « Zadachi poètiki ») : le cadre de la doctrine formaliste du langage poétique est l'esthétique kantienne et, devrait-on ajouter, son élaboration ultérieure à l'époque du romantisme allemand. L'idée de l'autotélisme comme définition du beau et de l'art vient tout droit des écrits esthétiques de Karl Philipp Moritz et de Kant; la solidarité même entre autotélisme et systématicité accrue y est ouvertement articulée, tout comme celle, du reste, entre autotélisme et valeur des sons. Dès son premier écrit esthétique (de 1785), Moritz déclare que

24

l'absence de finalité externe doit être compensée, en art, par une intensification de la finalité interne :

> Là où il manque à un objet l'utilité ou la fin externes, il faut les chercher dans l'objet même, si celui-ci doit réveiller en moi du plaisir; ou bien : je dois *trouver dans les parties isolées de cet objet tant de finalité que j'oublie de demander : mais à quoi bon le tout?* Pour le dire en d'autres mots : devant un bel objet, je dois éprouver du plaisir uniquement pour lui-même; dans ce but, l'absence de finalité externe doit être compensée par une finalité interne; l'objet doit être quelque chose d'accompli en lui-même (*Schriften...*, p. 6).

De même Schelling : la perte de fonction externe se paye du prix d'une augmentation de la régularité interne :

> L'œuvre poétique [...] n'est possible qu'à travers une séparation du discours par lequel s'exprime l'œuvre d'art, de la totalité du langage. Mais cette séparation d'une part et ce caractère absolu d'autre part ne sont pas possibles si le discours n'a pas en lui-même son propre mouvement indépendant et donc son temps, comme les corps du monde; ainsi il se sépare de tout le reste, en obéissant à une régularité interne. Du point de vue extérieur, le discours se meut librement et de manière autonome, ce n'est qu'en lui-même qu'il est ordonné et soumis à la régularité (*Philosophie der Kunst*, p. 635-636).

Ou encore August Wilhelm Schlegel, qui justifie précisément les répétitions phoniques (les contraintes métriques du vers) par la nécessité d'affirmer le caractère autonome du discours poétique :

> Plus un discours est prosaïque, plus il perd son accentuation chantante, et ne fait que s'articuler sèchement. La tendance de la poésie est exactement inverse et par conséquent, pour annoncer qu'elle est un discours qui a sa fin en lui-même, qu'elle ne sert aucune affaire extérieure et que donc elle interviendra dans une succession temporelle déterminée ailleurs, elle doit former sa propre succession temporelle. Ce n'est qu'ainsi que l'auditeur sera extrait de la réalité et remis dans une suite temporelle imaginaire, qu'il percevra une subdivision régulière des successions, une mesure dans le discours même; d'où ce phénomène merveilleux que dans son apparition la plus libre, lorsqu'elle est employée

25

comme pur jeu, la langue se défait volontairement de son caractère arbitraire, qui y règne par ailleurs fermement, et se soumet à une loi apparemment étrangère à son contenu. Cette loi est la mesure, la cadence, le rythme (*Vorlesungen...*, p. 103-104).

On pourrait se demander si les Formalistes étaient conscients de cette filiation. Même si la réponse était négative, elle n'aurait pas une grande importance, puisqu'ils pouvaient être imprégnés des idées romantiques sans les puiser à la source, en les recevant par l'intermédiaire des symbolistes français ou russes. Ainsi, on peut rester sceptique devant les déclarations de Jakobson lorsque, en 1933, il se défend d'assimilations qui lui paraissent abusives :

Il paraît que cette école [formaliste] [...] prône l'art pour l'art et marche sur les traces de l'esthétique kantienne. [...] Ni Tynianov, ni Mukarovský, ni Chklovski, ni moi nous ne prêchons que l'art se suffit à lui-même (« Qu'est-ce que la poésie? », trad. fr., p. 123).

Mais en fait les premiers écrits de Jakobson, précisément, contiennent deux noms clés : celui de Mallarmé et celui de Novalis. Or l'esthétique du premier n'est qu'une version radicale de la doctrine romantique; quant au second, il en est l'un des principaux auteurs... Dans un texte plus tardif, Jakobson évoque ainsi l'influence exercée naguère sur lui par Novalis :

Mais déjà bien plus tôt [que 1915, année où il lit Husserl], vers 1912 [c'est-à-dire à l'âge de seize ans], comme élève au lycée, qui avait résolument choisi le langage et la poésie comme objet de ses futures recherches, je suis tombé sur les écrits de Novalis, et j'ai été enchanté à jamais de découvrir chez lui, comme en même temps chez Mallarmé, la jonction inséparable du grand poète avec le profond théoricien du langage. [...] L'école dite du Formalisme russe vivait sa période de germination avant la Première Guerre mondiale. La notion controversée d'*autorégulation [Selbstgesetzmässigkeit] de la forme,* pour parler comme le poète, a subi dans ce mouvement une évolution, depuis les premières prises de position mécanistes jusqu'à une conception authentiquement dialectique. Cette dernière trouvait déjà chez Novalis, dans son célèbre « Monologue », une incitation pleinement synthétique – qui m'avait, dès le début, frappé d'étonnement et ensorcelé (« Nachwort », p. 176-177).

Filiation ne signifie pas identité, et il est certain que ni A. W. Schlegel ni Novalis n'auraient pu écrire les analyses grammaticales que Jakobson a consacrées à la poésie, pas plus que Baudelaire, à qui Jakobson aime se référer dans ses écrits plus tardifs. C'est que l'option idéologique (la définition du langage poétique) que les Formalistes partagent avec les romantiques ne suffit pas pour caractériser pleinement leur travail; il n'est pas indifférent de savoir que Novalis écrit des fragments poétiques, et Jakobson, des articles dans les journaux savants. Il ne reste pas moins que cette conception particulièrement populaire des Formalistes ne leur appartient nullement en propre et que, par elle, ils restent entièrement dépendants de l'idéologie romantique.

II

Mais cette conception du langage poétique n'est ni la seule ni même tout à fait la première dans l'histoire du Formalisme russe. Si l'on se tourne vers la première publication théorique de Chklovski, « La résurrection du mot », qui date de 1914, donc d'un moment antérieur à la constitution du groupe, on y trouvera un curieux alliage de la doctrine précédemment exposée avec une autre, dont Chklovski ne semble pas percevoir la différence mais qui en réalité ne peut être accordée à la première qu'avec la plus grande peine.

D'une part, donc, Chklovski écrit :

> Si nous voulons créer une définition de la perception *poétique* et en général *artistique,* nous rencontrerons indubitablement la définition : la perception *artistique* est celle lors de laquelle on éprouve la forme (peut-être pas seulement la forme mais nécessairement la forme) [p. 2-4].

Le ton général nous est bien connu, et pourtant on perçoit aussi une nuance, qui était présente également dans les textes évoqués auparavant et qui semble bien être la contribution personnelle de Chklovski à la doctrine professée collectivement : au lieu de décrire l'œuvre d'art même, ou le langage poétique, Chklovski s'attache toujours au processus de sa perception. Ce n'est pas le langage qui est autotélique, c'est sa réception par le lecteur ou l'auditeur.

Or, d'autre part, Chklovski nous livre aussi incidemment une autre définition de l'art, qui, on le verra, est tout aussi liée à la perception, mais qui renonce, en revanche, à l'autotélisme : « La soif du concret, qui constitue l'âme de l'art (Carlyle), demande le renouvellement » (p. 4). Carlyle, on le sait, n'est qu'un autre vulgarisateur des idées romantiques, et sa conception de l'art est dérivée de celle de Schelling : c'est la synthèse de l'infini avec le fini, l'incarnation de l'abstraction dans des formes concrètes. Nous n'avons donc pas quitté la tradition romantique. Mais c'est peut-être à un autre lieu commun de l'époque que se réfère, implicitement, Chklovski (surtout si l'on prend en considération son insistance sur la perception) : celui que popularise l'esthétique de l'impressionnisme. L'art renonce à la représentation des essences et s'attache à celle des impressions, des perceptions; il n'existe que des visions individuelles des objets, non des objets en soi; la vision constitue l'objet, en le renouvelant. Nous sommes ici encore plus près des principes relativistes et individualistes de cette idéologie.

Quoi qu'il en soit, Chklovski ne semble nullement s'apercevoir de ce que cette fonction de l'art (renouveler notre perception du monde) ne peut plus être assimilée à l'autotélisme, ou absence de fonction externe, également caractéristique de l'art, et il continue, dans les textes des années suivantes, d'affirmer simultanément les deux. L'absence d'articulation est particulièrement frappante dans « L'art comme procédé », où sera introduit le fameux concept d'*ostranenie,* ou distanciation. Car on retrouve ici les exemples déjà cités dans « La résurrection du mot » d'un langage poétique « distant » ou « étrange » (le vieux bulgare en Russie, Arnaut Daniel, la *glosse* d'Aristote, etc.), suivis de ces affirmations :

Ainsi le langage de la poésie est un langage difficile, compliqué, ralenti. [...] Ainsi, nous aboutissons à la définition de la poésie comme discours ralenti, oblique (p. 21-22).

28

La première conception du langage poétique est donc bien présente. Mais à côté d'elle, parfois même enchâssée à l'intérieur d'elle, on trouve aussi la seconde, qui porte en fait l'insistance de son auteur. Chklovski écrit donc, de façon parfaitement incohérente par rapport à la première conception :

> L'image poétique est un moyen pour intensifier l'impression. [...] L'image poétique est l'une des manières pour créer la plus forte impression. En tant que telle [...], elle est égale à toutes les manières dont on dispose pour augmenter la sensation de la chose (les mots ou même les sons de l'œuvre peuvent également être des choses) [p. 9-10].

On voit ici comment la parenthèse essaie de réconcilier les deux versants de la doctrine : on retrouve la doctrine de l'autotélisme artistique à condition d'oublier que l'art est différent du reste du monde! Mais l'image-« manière » peut-elle être identique à l'image-« chose », le « moyen » à la « fin »? Ou encore :

> Le but de l'image n'est pas de rapprocher sa signification de notre entendement, mais de créer une perception particulière de l'objet, de créer sa « vision » et non sa « reconnaissance » (p. 18).

L'opposition langage poétique/langage pratique reste tout aussi tranchée, et simple; elle n'oppose plus, cependant, autotélisme et hétérotélisme, mais le concret et l'abstrait, le sensible et l'intelligible, le monde et la pensée, le particulier et le général. Parfois, Chklovski parvient à assumer les deux positions à l'intérieur d'une seule phrase, ainsi dans ce passage central de son essai :

> Pour rendre la sensation de la vie, pour sentir la chose, pour que la pierre soit pierre, il existe ce qu'on appelle l'art. La fin de l'art est de donner une sensation de la chose comme vision, et non comme reconnaissance; le procédé de l'art est le procédé de distanciation et le procédé de la forme difficile, qui augmente la difficulté et la durée de la perception, car le processus de perception en art a sa fin en lui-même et doit être prolongé; l'art est une manière d'éprouver le devenir de la chose, ce qui est déjà devenu n'importe pas à l'art (p. 13).

Jusqu'au mot « distanciation », nous sommes dans la seconde conception formaliste; à partir de là, et jusqu'au point-virgule, nous revenons à la première – à moins que l'art ne soit conçu comme un appareil de perception, qui lui-même n'a pas à être perçu. Si le processus de perception devient une fin en soi (grâce à la difficulté de la forme), on perçoit moins l'objet, et non pas plus; si la distanciation livre la définition de l'art, le processus de perception est imperceptible, c'est l'objet qu'on voit – comme pour la première fois...

Chklovski ne nous donne aucun indice qu'il est conscient des difficultés par lui soulevées. On ne trouve, à ma connaissance, qu'une tentative pour articuler les deux conceptions; elle apparaît dans l'étude de Jakobson, de plus de quinze ans postérieure, « Qu'est-ce que la poésie? ». Vers la fin de son écrit, Jakobson présente une sorte de condensé de la position formaliste, et aborde aussi la définition du langage poétique, ou de la poéticité :

> Mais comment la poéticité se manifeste-t-elle? En ceci que le mot est ressenti comme mot et non comme simple représentant de l'objet nommé ni comme explosion d'émotion. En ceci que les mots et leur syntaxe, leur signification, leur forme externe et interne ne sont pas des indices indifférents de la réalité, mais possèdent leur propre poids et leur propre valeur (p. 124).

Jusqu'ici, il s'agit d'une version très pure de la première conception formaliste, celle de l'autotélisme. Mais la phrase suivante nous fait changer de perspective :

> Pourquoi tout cela est-il nécessaire? Pourquoi faut-il souligner que le signe ne se confond pas avec l'objet? Parce qu'à côté de la conscience immédiate de l'identité entre le signe et l'objet (A est A_i), la conscience immédiate de l'absence de cette identité (A n'est pas A_i) est nécessaire; cette antinomie est inévitable car sans contradiction il n'y a pas de jeu des concepts, il n'y a pas de jeu des signes, le rapport entre le concept et le signe devient automatique, le cours des événements s'arrête, la conscience de la réalité se meurt. [...] C'est la poésie qui nous protège contre l'automatisation, contre la rouille qui menace notre formule de l'amour et de la haine, de la révolte et de la réconciliation, de la foi et de la négation (p. 124-125).

On pourrait interpréter ce raisonnement dans l'esprit de la sémantique générale, à la Korzybski : le rapport automatique entre mots et choses est néfaste aux deux, car il les soustrait à la perception, et ne favorise que la seule intellection. A rompre l'automatisme, on gagne sur les deux tableaux : on perçoit les mots comme mots mais du coup, aussi, les objets en tant que tels, comme ce qu'ils sont « vraiment », en dehors de tout acte de nomination [1]...

On sait que le mot, et l'idée, de distanciation connaissent une grande fortune; on y reviendra. Il n'est pas certain, toutefois, que le rôle de la distanciation à l'intérieur même de la production formaliste soit très important. Chklovski, il est vrai, s'y réfère constamment. Mais, dans les exposés systématiques (par exemple « Théorie de la méthode formelle » d'Eikhenbaum, ou *Théorie de la littérature* de Tomachevski, qui datent tous deux de 1925), le procédé en question est mentionné, mais sans plus; ce n'est pas du tout la définition de l'art; Tomachevski, par exemple, décrit la distanciation comme « un cas particulier de la motivation artistique » (p. 153). Quelle aurait pu être la place de la distanciation dans le système esthétique des Formalistes? On pourrait imaginer, premièrement, que ce soit là, comme le voulait Chklovski, la définition même de l'art. Mais, même si l'origine de cette seconde conception du langage poétique est encore romantique, sous la forme qu'elle revêt à l'époque elle est en contradiction directe avec la première conception : celle-ci refuse toute fonction externe, celle-là en revendique une. La relation au monde extérieur, expulsée en tant qu'« imitation » de l'esthétique romantique, fait ici son

---

1. On trouve une assimilation très comparable, une dizaine d'années plus tard, chez Maurice Blanchot, pour qui aussi la perception du langage comme chose conduit à la perception des choses comme telles : « Le nom cesse d'être le passage éphémère de la non-existence pour devenir une boule concrète, un massif d'existence; le langage, quittant ce sens qu'il voulait être uniquement, cherche à se faire insensé. Tout ce qui est physique joue le premier rôle : le rythme, le poids, la masse, la figure, et puis le papier sur lequel on écrit, la trace de l'encre, le livre. Oui, par bonheur, le langage est une chose : c'est la chose écrite, un morceau d'écorce, un éclat de roche, un fragment d'argile où subsiste la réalité de la terre. Le mot agit, non pas comme une force idéale, mais comme une puissance obscure, comme une incantation qui contraint les choses, les rend *réellement* présentes hors d'elles-mêmes » (*la Part du feu*, 1949, p. 330).

retour dans une relation plus instrumentale : l'art comme révélation (et non plus imitation) du monde.

En second lieu, on pourrait retenir l'insistance continuelle de Chklovski sur le processus de perception, et voir dans cette idée l'ébauche d'une théorie de la lecture. Mais sous cette forme aussi l'idée est en contradiction avec le grand courant de la pratique formaliste. L'objet des études littéraires selon les Formalistes – là-dessus, ils sont tous d'accord –, ce sont les œuvres mêmes, non les impressions que celles-ci laissent chez leurs lecteurs. En théorie du moins, les Formalistes séparent l'étude de l'œuvre de celle de sa production ou de sa réception, et ils reprochent constamment à leurs prédécesseurs de s'occuper de ce qui n'est que circonstances ou, justement, impressions. Une théorie de la lecture ne peut s'introduire qu'en contrebande dans la doctrine formaliste.

Enfin, troisièmement, la distanciation pourrait servir de base à une théorie de l'histoire littéraire. Ce sera le sens qu'elle prendra, dès le début des années vingt, dans les écrits de Chklovski, Jakobson ou Tomachevski; c'est elle qui donne naissance à l'idée du cycle automatisation-dénudation du procédé, ou encore à ce que désigne la métaphore de l'héritage passé de l'oncle au neveu (chaque époque rend canoniques des textes jugés marginaux à l'époque précédente). Mais, si on prend la notion au sens strict, on ne peut l'appliquer qu'à un nombre assez limité de cas; pour la généraliser, il faut en transformer le sens, et c'est ce qui se produira dans les écrits de Tynianov, conduisant ainsi à une troisième conception du langage poétique.

III

Avant d'en arriver là, il faut se rappeler en quoi consiste l'activité concrète des Formalistes, et se demander dans quelle mesure elle correspond à telle ou telle partie de leur programme. Le gros de leurs publications n'est pas consacré à l'élaboration d'un système esthétique, original ou banal, ni à une interrogation sur l'essence de l'art; qu'on le déplore ou qu'on s'en réjouisse, force est de constater : les Formalistes ne sont pas des « philosophes ». En revanche, les travaux se multiplient sur différents aspects du vers (Brik, Jakobson, Tomachevski, Eikhenbaum, Jirmunski, Tynianov), sur l'organisation du discours narratif (Eikhenbaum, Tynianov, Vinogradov), sur les formes de composition de l'intrigue (Chklovski, Tomachevski, Reformatski, Propp), et ainsi de suite.

On pourrait donc dire, à première vue, qu'il y a une distance entre ce que j'appelais la « première conception » du langage poétique et le travail concret des Formalistes, dans la mesure où l'on voit mal en quoi l'hypothèse initiale est nécessaire aux travaux qui s'ensuivent. Pourtant, à y regarder de plus près, on découvre que ces travaux sont rendus possibles (sans être proprement provoqués) par le postulat de départ. La formule un peu abstraite et creuse des romantiques selon laquelle l'œuvre d'art doit être perçue en elle-même, et non en vue d'autre chose, deviendra non affirmation doctrinale mais raison pratique qui poussera les Formalistes – les savants donc plutôt que les lecteurs – à percevoir l'œuvre elle-même; à découvrir qu'elle a un rythme, qu'il faut apprendre à décrire; des narrateurs, qu'il faut savoir différencier; des procédés narratifs, universels et pourtant variés à l'infini. En d'autres termes, leur point de départ dans l'esthétique romantique leur permet de commencer à pratiquer, et en cela ils sont des véritables inventeurs, une nouvelle *science des discours*. Non que, à la différence d'autres critiques littéraires, ils disent la vérité là où ceux-ci n'énonçaient que des opinions – cela serait une illusion; mais qu'ils renouent avec le projet, posé par la *Poétique* et la *Rhétorique* d'Aristote, d'une discipline dont l'objet sont les formes du discours, et non les œuvres particulières. C'est même en cette rencontre de la tradition aristotélicienne avec l'idéologie romantique que réside l'originalité du mouvement formaliste, et c'est elle qui explique la préférence pour les articles savants sur des fragments poétiques.

Eikhenbaum se montrera particulièrement sensible à ce trait caractéristique du Formalisme, et il y revient sans cesse dans sa « Théorie de la méthode formelle » :

Pour les « formalistes », la seule question de principe concerne, non les méthodes des études littéraires, mais la littérature en tant qu'*objet* d'études. [...] Ce qui nous caractérise n'est pas le « formalisme » en tant que théorie esthétique, ni la « méthodologie » comme système scientifique achevé, mais seulement l'aspiration de créer une science littéraire autonome sur la base des traits spécifiques du matériau littéraire (p. 116-117).

Il devenait parfaitement clair, même pour les personnes extérieures à l'Opöaz, que l'essence de notre travail n'était pas dans l'établissement d'une « méthode formelle » immuable mais dans l'étude des propriétés spécifiques de l'art verbal; qu'il s'agit non de la méthode mais de l'objet de l'étude (p. 141).

Ce qui caractérise le Formalisme est un objet, non une théorie. En un sens, Eikhenbaum a raison : il ne dispose d'aucune méthode particulière et la terminologie même change avec les années. Mais ce qui caractérise une école critique n'est jamais une méthode (cela, c'est une fiction destinée à attirer des disciples), c'est la manière de construire l'objet d'études : les historiens de la génération précédente y incluaient les relations avec le contexte idéologique et laissaient de côté l'analyse interne de l'œuvre, les Formalistes font le contraire. Or, on sent bien que, pour Eikhenbaum, qui illustre ici l'attitude positiviste, ce choix reste parfaitement transparent, invisible. C'est pourquoi, du reste, il n'y a jamais chez les Formalistes de réponse à la question : « Que doit faire la critique? » Ils répondraient, en toute innocence : décrire la littérature (comme si celle-ci existait à l'état de fait brut).

Mais revenons à l'objet des études littéraires, tel que le perçoit Eikhenbaum. Cet objet, c'est « la littérature en tant que série de traits spécifiques », « les propriétés spécifiques de l'art verbal ». De quelle spécificité s'agit-il? Pour que la création d'une nouvelle discipline soit justifiée, il faudrait que cette spécificité soit de même nature dans toutes les instances de ce qui est reconnu comme appartenant à la littérature. Or, l'analyse attentive des « œuvres en elles-mêmes » – rendue donc possible par l'hypothèse de la spécificité littéraire – va révéler aux Formalistes que ladite spécificité n'existe pas; ou, plus exactement, qu'elle n'a d'existence qu'historiquement et culturellement circonscrite, mais pas universelle ou éternelle; et que du coup la définition par l'autotélisme est intenable. Paradoxalement, ce sont justement leurs présupposés romantiques qui conduiront les Formalistes à des conclusions antiromantiques.

On trouve pour la première fois cette constatation dans

l'étude de Tynianov, « Le fait littéraire », qui date de 1924. Tynianov remarque d'abord :

> Alors qu'une *définition* ferme de la *littérature* devient de plus en plus difficile, n'importe quel contemporain nous montrera du doigt ce qu'est un *fait littéraire*. [...] Le contemporain vieillissant, qui a vu de son vivant une ou deux ou même plus de révolutions littéraires, remarquera qu'en son temps tel événement n'était pas un fait littéraire, alors que maintenant il l'est devenu; et inversement (p. 9).

Et il conclut :

> Le fait littéraire est hétéroclite, et en ce sens la littérature est une série qui évolue avec solution de continuité (p. 29).

On voit quelle généralisation a dû subir le concept de distanciation pour conduire à la nouvelle théorie littéraire de Tynianov (est-ce un hasard si son étude est dédiée à V. Chklovski?). La distanciation n'est plus qu'un exemple d'un phénomène plus vaste qui est l'historicité des catégories dont nous nous servons pour découper les faits de culture : ceux-ci n'existent pas dans l'absolu, à la manière des substances chimiques, mais dépendent de la perception de leurs utilisateurs.

Revenant sur le même sujet dans « De l'évolution littéraire » (1927), Tynianiov est encore plus clair :

> L'existence du fait comme fait *littéraire* dépend de sa qualité différentielle (c'est-à-dire de sa corrélation avec la série soit littéraire, soit extra-littéraire), en d'autres termes de sa fonction. Ce qui est fait littéraire à une époque sera pour une autre un fait quotidien de parole commune, et inversement, en rapport avec le système littéraire entier dans lequel évolue le fait en question. Ainsi, une lettre amicale de Derjavine est un fait de la vie quotidienne, alors qu'à l'époque de Karamzine et de Pouchkine la lettre amicale est un fait littéraire. Cf. la littérarité des Mémoires et des journaux intimes dans un système littéraire, leur extra-littérarité dans un autre (p. 35).

L' « automatisation » et la « distanciation » apparaissent ici comme des illustrations particulières du processus de transformation de la littérature prise comme un tout.

Les conséquences de cette thèse sont bouleversantes pour la doctrine formaliste. En effet, elle revient à affirmer l'inexistence de ce qu'Eikhenbaum considérait comme le garant d'identité du Formalisme : l'objet de leurs études, c'est-à-dire la spécificité (transhistorique) de la littérature. Deux réactions, au demeurant contradictoires, peuvent être relevées chez les autres membres du groupe. La première est celle d'Eikhenbaum, dans *Mon périodique*, en 1929; elle consiste en une adhésion totale, tant au niveau des exemples qu'à celui des conclusions :

> Ainsi, à certaines époques le journal et même la vie quotidienne d'une salle de rédaction ont la signification d'un fait littéraire, alors qu'à d'autres ce sont les sociétés, les cercles, les salons qui acquièrent la même signification (p. 55).

> Le fait littéraire et la période littéraire sont des notions complexes et changeantes, dans la mesure où sont également changeantes les relations des éléments qui constituent la littérature, ainsi que leurs fonctions (p. 59).

Rien n'est dit, en revanche, sur la manière dont cette idée s'articule avec les affirmations antérieures d'Eikhenbaum.

Jakobson, de son côté, ne semble pas ébranlé par ces nouvelles déclarations. Dans « Qu'est-ce que la poésie? », il se contente d'isoler un noyau stable au sein de la mouvance générale; il restreint donc un peu le champ d'application de ses thèses mais n'en modifie pas la teneur.

> J'ai déjà dit que le contenu de la notion de *poésie* était instable et variait dans le temps, mais la fonction poétique, la *poéticité*, comme l'ont souligné les Formalistes, est un élément *sui generis*, un élément que l'on ne peut réduire mécaniquement à d'autres éléments (p. 123).

Les travaux de Jakobson des années soixante témoignent toujours de sa conviction qu'il est possible d'avoir une définition linguistique (et transhistorique), sinon de la poésie, tout au moins de la fonction poétique.

La thèse de Tynianov est grosse d'implications radicales. Elle ne laisse en réalité plus de place pour une connaissance autonome de la littérature, mais conduit vers deux disciplines complémentaires : une science des discours, qui étudie les formes linguistiques stables mais ne peut dire la spécificité littéraire; et une histoire, qui explicite le contenu de la notion de littérature à chaque époque donnée, en la mettant en relation avec d'autres notions du même niveau. Cette troisième conception du langage poétique est en réalité une démolition de la notion même : à sa place vient le « fait littéraire », catégorie historique et non plus philosophique. Tynianov dépossède la littérature de sa place exceptionnelle, en la voyant non plus en opposition mais en relation d'échange et de transformation avec les autres genres du discours. C'est la structure même de la pensée qui est changée : à la place du gris quotidien et de l'étoile poétique, on découvre la pluralité des manières de parler. Du coup, la rupture initiale, celle entre un langage qui parle du monde et un langage qui se parle lui-même, est abolie, et on peut se poser, en termes neufs, la question de la vérité en littérature.

Pour ce qui concerne la définition même de la littérature, on ne peut que supputer les conséquences que les Formalistes auraient tirées de ce renversement spectaculaire. L'une des voies possibles aurait été celle d'un historicisme radical – tout aussi radical qu'était jusque-là leur formalisme – qui aurait conduit à évacuer complètement la question; on n'y aurait donc pas quitté le cadre conceptuel romantique. Une autre aurait permis de chercher une nouvelle définition, se justifiant non par la parenté réelle de tous les phénomènes réputés littéraires, mais par sa propre valeur explicative. Mais rien de tout cela ne sera réalisé : la répression politique s'abat sur le groupe à la fin des années vingt, et toutes les questions par lui agitées deviennent tabou, en URSS, pendant plusieurs décennies. La seule leçon positive de cette fin violente de la réflexion formaliste est que la littérature et la critique ne trouvent pas, de toute évidence, leur fin en elles-mêmes : sinon, l'État ne se serait pas soucié de les réglementer.

Le retour de l'épique
(Döblin et Brecht)

En changeant de pays, en passant de Russie en Allemagne, je change aussi de genre : ce ne sont plus des critiques que je voudrais analyser ici, mais deux écrivains, Alfred Döblin et Bertolt Brecht. La différence est de taille : mes deux auteurs ne se soucient guère de critique littéraire – ni de ce qu'elle est, ni de ce qu'elle doit être; pas plus qu'ils ne se proposent de décrire, de façon impartiale, voire scientifique, ce qu'est la littérature. Ce qui les intéresse, c'est comment la littérature peut ou même *doit* être : ils écrivent, en marge de leur pratique littéraire, pour la défendre et la promouvoir, des justifications théoriques; ce sont des programmes d'action (littéraire) dont l'efficacité est la seule mesure, non des disertations qui aspirent à la vérité. Or voilà : je suis sans doute injuste envers les professionnels contemporains de la théorie littéraire en Allemagne, mais c'est dans ces écrits polémiques, dans ces manifestes, que je trouve un élément de réflexion qui m'intéresse plus que le reste; c'est donc eux que je me propose de lire ici.

Injuste envers la critique professionnelle, je risque également de l'être envers mes deux auteurs, car je renonce à toute saisie globale de leur œuvre (mais elle serait déplacée dans le présent contexte) pour ne me préoccuper que d'un seul point de doctrine, celui qui se trouve évoqué par le terme d'« épique », employé par eux pour désigner leur propre production. Ce qui m'intéresse ici n'est pas la vérité de cette proclamation (les œuvres en question étaient-elles vraiment épiques?), ni, d'un autre point de vue, sa légitimité (un bon historien de la littérature aurait-il employé le terme dans ce sens?), mais uniquement son sens. Que voulait-on dire au juste en revendiquant l'appellation d'« épique » pour tel drame, pour tel roman?

I

Alfred Döblin emploie le mot « épique » dans un sens bien particulier dès 1928, dans une conférence intitulée « Schriftstellerei und Dichtung », mots qu'on pourrait traduire par « Écrivance et poésie ». L'opposition que désignent ces deux termes est des plus familières pour quiconque la lit dans le contexte de la doctrine esthétique du romantisme, bien que Döblin la présente comme une innovation. Il s'agit en effet d'opposer l'activité utilitaire de l'écrivain, soumise à des buts extérieurs, à l'attitude intransitive du poète, qui ne se soucie que des intérêts propres à l'art lui-même. Voici d'abord les livres de la première catégorie :

> En règle générale, ils ont une certaine fin pratique : distraire et en plus atteindre quelque chose d'éthique, selon ce que l'auteur s'imagine être l'éthique ; ou bien ils veulent servir de propagande politique, ou ils veulent agir de manière critique sur la société et instruire ; ou bien ils ne veulent qu'être le lieu où le pauvre auteur peut vider son cœur, donc le cabinet littéraire pour exhibitionnistes, le WC littéraire (p. 93).

On voit que Döblin stigmatise tout autant la fonction « impressive », ou didactique, que la fonction expressive de l'art. Et voici maintenant l'autre terme :

> La poésie est en opposition tranchée avec l'écrivance rationnelle, subordonnée à des fins extérieures. [...] L'œuvre poétique a aussi ses fins, qui agissent sur la vie et sur les hommes, mais ce sont les fins spécifiques, très complexes et très actuelles, de la poésie (p. 94).

L'opposition est parfaitement traditionnelle, quoi qu'en pense Döblin. Ce qui l'est cependant moins, c'est qu'il l'emploie en alternance avec un autre couple de termes, désignant cette fois-ci des genres littéraires, à savoir « roman » et « épopée ». Un tel usage a de quoi dérouter. D'une part, parce que « épique » devient synonyme de « poétique » et que Homère, Dante et Cervantès seront désignés comme les plus grands représentants

de l'art épique : c'est-à-dire un auteur d'épopées, un poète et...
un romancier. D'autre part, le roman, aboutissement, pour les
romantiques, de leur nouvelle esthétique, devient, pour Döblin,
l'incarnation de son contraire : pour lui, le roman est du côté de
l'écrivance, non de la poésie. C'est donc l'œuvre épique qui sera
dotée, aux yeux de Döblin, des caractéristiques attribuées par
Friedrich Schlegel ou Novalis au roman, et en particulier de
l'intransitivité. Celle-ci se retrouve quel que soit le point de vue
choisi par l'analyste. A l'intérieur de la fable, chaque élément
garde son autonomie, au lieu de se soumettre à un point
culminant unique, comme dans le roman (Döblin reproduit ici
l'interprétation de l'opposition épique/dramatique, telle que la
pratique Schiller) :

> Dans l'œuvre épique, l'action avance morceau par morceau, par
> agglutination. Telle est l'apposition épique. Elle s'oppose au
> développement du drame, au déroulement à partir d'un point. [...]
> Dans la bonne œuvre épique, les personnages isolés ou les épisodes
> individuels extraits de l'ensemble gardent leur vie; alors que le
> roman de l'écrivance s'évanouit avec sa tension aiguë (p. 96-97).

L'autonomie se retrouve si l'on examine les niveaux d'organisation de l'œuvre plutôt que ses parties :

> J'indique ici deux traits distinctifs essentiels de l'œuvre épique :
> souveraineté de l'imagination et souveraineté de l'art verbal
> (p. 94).

Ce qu'il y a donc de plus curieux dans ces pages de Döblin,
c'est l'usage du terme « épique », qui apparaît à un endroit où
on ne l'attendait pas, et qui semble chargé d'un sens banal du
point de vue esthétique, mais lexicologiquement original.
Cependant, le sens traditionnel du terme ne peut être entièrement oblitéré; quelque chose en reste nécessairement présent
dans la mémoire de Döblin comme dans celle de son lecteur, et
cette tension entre l'usage commun du terme et son usage
nouveau requiert une explication. C'est la tâche à laquelle se
consacrera Döblin dans une étude beaucoup plus longue, parue
l'année suivante (1929) et intitulée « Der Bau des epischen
Werks » (« La structure de l'œuvre épique »). C'est ici qu'on
trouve l'essentiel des intuitions originales de Döblin.

41

Ce n'est pas pour autant qu'il coupe tous les ponts avec l'esthétique romantique. En parfait accord avec cette doctrine, il critique l'imitation servile de la réalité, loue l'intransitivité des parties et de la totalité de l'œuvre épique, et la compare, par son autonomie et par la cohérence interne qui la régit, à l'œuvre musicale. D'autres caractéristiques encore de l'œuvre épique pourraient provenir de la plume de Friedrich Schlegel, à ceci près que celui-ci aurait parlé de roman. Par exemple, le genre épique absorbe tous les autres genres : « Vous allez vous prendre la tête à deux mains si je conseille aux auteurs d'être résolument lyriques, dramatiques, voire réfléchis dans le travail épique. Mais je n'en démords pas » (p. 113). C'est aussi, à la différence des autres genres, un genre en transformation constante : « L'œuvre épique n'est pas une forme fixe, elle doit être, comme le drame, constamment développée en s'opposant opiniâtrement à la tradition et à ses représentants » (p. 113). C'est un genre qui est du côté du processus de production, plutôt que de celui des produits achevés : « *Le lecteur participe donc avec l'auteur au processus de production.* Toutes les œuvres épiques sont affaire de devenir et d'action » (p. 123). Mais à la suite de ces lieux communs du romantisme apparaissent aussi quelques affirmations plus surprenantes.

Tout en critiquant l'imitation servile de la réalité, Döblin reconnaît que des récits qui pourtant évoquent des événements situés dans le monde extérieur (toujours ceux d'Homère, de Dante et de Cervantès) emportent totalement l'adhésion du lecteur comme la sienne propre. Comment la chose est-elle possible? C'est qu'il y a une différence à la fois dans la nature de la matière représentée ici et là, et dans la manière dont on la représente. Alors que le roman (« bourgeois », p. 107) décrit des situations et des personnages *particuliers,* l'œuvre épique recherche l'*exemplarité,* tant dans la matière que dans la manière. L'auteur épique ne se contente pas d'observer et de transcrire la réalité, il doit aussi la « transpercer » (p. 107), aller au-delà d'elle pour trouver des situations essentielles et élémentaires, caractéristiques de l'humanité plutôt que des hommes individuels :

Ce sont là, formulées, de fortes situations fondamentales et élémentaires de l'existence humaine, ce sont là des attitudes élémentaires de l'être humain qui font leur apparition dans cette sphère [...]. Ces situations originelles de l'homme dépassent même en proximité de l'origine, en vérité et en puissance de procréation les vérités quotidiennes analysées (p. 106-107).

Le roman européen, tel qu'il s'est développé à partir du XVIIe siècle, est bien lié à la valorisation du particulier et à l'intérêt pour l'individuel; le refus de ces options, caractéristique d'une époque antérieure mais peut-être aussi du présent, légitime donc la réintroduction de ce terme ancien, l'épique.

Pour comprendre le deuxième trait de l'épopée moderne, il faut suivre un moment le processus de transformation historique de la littérature, que Döblin dessine à grands traits. L'ancien poète épique n'est pas seul responsable de son œuvre : son public l'est également, dans la mesure où le poète est en contact direct avec lui, et que sa rémunération même dépend de l'approbation de ce public; l'œuvre est donc infléchie dans le sens des auditeurs, et le poète n'est que le porte-parole individuel de ce qui est une voix avant tout collective. Mais l'écriture, puis l'impression, ont mis un écran entre producteur et consommateurs du livre, qui du coup doivent être identifiés comme tels, et séparés. Non seulement les personnages, donc, mais l'auteur aussi est frappé par la stérilité de l'individualisme. Mais comment sortir de l'aporie? Le poète moderne ne va tout de même pas se mettre à chanter ses récits dans les cafés en demandant l'aumône?

La réponse de Döblin est intéressante. Elle consiste à dire ceci : à l'époque du livre imprimé, le seul moyen de retrouver l'attitude épique, c'est d'intérioriser la voix des auditeurs potentiels et de lui permettre de s'exprimer, sans que disparaisse pour autant, et cela est essentiel, la voix individuelle du poète. Le poète épique classique ne faisait passer que la voix de la collectivité, dans laquelle se perdait la sienne. Le poète individualiste moderne ne laisse se produire, lui aussi, qu'une seule voix – avec cette différence qu'elle appartient à un individu. La nouvelle épopée, elle, est la première à faire entendre deux voix simultanément : celle du poète et celle des autres, intériorisée; c'est un dialogue intérieur.

Döblin écrit :

Pour le dire clairement et d'emblée : *en cet instant, l'auteur n'est plus tout seul dans sa chambre* [...]. A partir de ce moment, l'auteur porte le peuple en lui. Ce moi observateur assume à notre époque le rôle et la fonction du peuple chez les anciens vagants. *Ce moi devient public, devient auditeur, et il commence même à collaborer.* [...] A partir de cet instant s'instaure une coopération, une collaboration entre le moi et l'instance poétisante (p. 120).

A partir de quoi Döblin imagine les différentes relations qui s'établissent entre ces deux émanations de la personne : le moi-auditeur intériorisé peut contrôler tout, ou bien commencer à se soumettre à l'œuvre, voire à vaciller devant elle.

Il existe enfin un troisième lieu où se manifeste la spécificité de la nouvelle épopée : c'est dans l'attitude prise par l'auteur à l'égard du langage. Les énoncés ne sont plus considérés exclusivement par rapport aux réalités qu'ils désignent mais aussi en tant que porteurs de voix. Dans la production de son œuvre, le poète partira souvent d'une phrase dans laquelle il retiendra non le sens, mais les échos d'énonciations antérieures. Il n'y entendra pas la voix individuelle d'une personne particulière ni la voix unie de la collectivité entière; le langage sera pour lui le lieu d'interaction des voix multiples caractéristiques d'une société : il entendra et fera vivre les appartenances territoriales et sociales, le degré d'éducation et la profession, la préférence pour l'archaïsme ou pour le vulgarisme, telle ou telle sous-tradition littéraire; l'essentiel étant le maintien même de cette multiplicité. « Le connaisseur sait qu'il existe un grand nombre de niveaux de langue sur lesquels tout doit se mouvoir » (p. 131), et on ne saurait rendre un plus grand service à l'écrivain que de lui faciliter l'accès à ce royaume. « Si les philologues voulaient éditer un dictionnaire des styles et des niveaux de la langue allemande, ce serait là un travail bienfaisant pour les auteurs et pour les lecteurs » (p. 130). La chose serait essentielle car « *en chaque style de langage résident une force productive et un caractère contraignant* » (p. 130-131). Si on sait écouter ces voix, elles se chargeront de produire le texte à la place de l'auteur. « On croit parler et on est parlé, on croit écrire, on est écrit. [...] La victoire revient toujours – chez le bon auteur – au " langage " » (p. 131-132). C'est donc une victoire sans vaincu, où l'être est d'autant plus présent qu'il cède mieux sa place aux autres.

Le roman, tel qu'il a existé au cours des trois derniers siècles, consonne avec l'idéologie individualiste, laquelle à son tour évolue parallèlement à la société bourgeoise moderne. Mais Döblin perçoit, dans la vie autour de lui, les signes d'une mutation radicale, à la suite de laquelle des instances collectives commencent à jouer un rôle accru par rapport aux individualités. Tel serait le dénominateur commun d'un très grand nombre de transformations de la société qu'il observe, auprès de lui comme au loin. La nouvelle idéologie (qu'il faudrait éviter d'appeler « collectiviste ») s'harmoniserait mieux avec une nouvelle littérature; c'est à celle-ci que Döblin réserve l'appellation d'« épique ». Döblin conteste l'esthétique individualiste sur un point bien précis : c'est la conception de l'homme qu'on y trouve sous-jacente. Döblin veut que la littérature représente des situations et des personnges exemplaires plutôt que singuliers, parce qu'il ne croit pas à la singularité de l'individu, à la différence irréductible qui le séparerait de tous les autres individus; ce choix repose sur la conviction de la *socialité* constitutive de l'homme. On retrouve la même idée quand on se tourne de l'homme représenté vers l'homme représentant : l'auteur, lui non plus, ne doit être pensé comme un individu isolé, mais plutôt comme celui qui transmet plusieurs voix simultanément, la sienne et celle des autres, ou plus exactement celle de son public, c'est-à-dire une sorte de consensus de son époque. Le nouveau genre épique doit être le dialogue conscient entre l'auteur individuel et ce consensus collectif. Il faut éviter les pièges également dangereux du pur collectivisme et du pur individualisme. Il est illusoire, aujourd'hui, de vouloir se confondre entièrement avec la voix de sa société, à la manière du barde dans les sociétés traditionnelles; mais il est tout aussi néfaste de s'imaginer dans une solitude radicale; il faut maintenir l'interaction des deux.

II

L'esthétique de Brecht présente plusieurs points de rupture évidents par rapport à l'esthétique romantique. Son « théâtre didactique » est incompatible avec l'intransitivité de l'art, prônée par les romantiques, et on ne sera pas surpris de voir que la notion même d'art, consubstantielle à l'esthétique romantique, devient marginale dans l'optique de Brecht : la réunificatin de tout ce qui trouve son but en lui-même en un seul concept lui importe peu. Lorsqu'il doit expliquer (dans « L'achat du cuivre ») en quoi consiste le théâtre épique, il ne recourt pas à des catégories esthétiques, mais à l'analyse d'une pratique quotidienne.

> Il est relativement aisé de proposer un modèle fondamental du théâtre épique. Lors des exercices pratiques, j'avais l'habitude de choisir pour exemple d'un théâtre épique des plus simples, en quelque sorte « naturel », un processus susceptible de se dérouler à n'importe quel coin de rue : le témoin oculaire d'un accident de circulation montre, à des gens attroupés, comment le malheur est arrivé.

Il y a bien sûr aussi des différences entre ces « formes simples » du théâtre et les « formes savantes » (pour nous servir des termes dont usait, à la même époque, André Jolles dans ses *Formes simples*), mais ce sont des différences fonctionnelles et non structurales : l'« art » (la littérature) naît de la « nature » (du discours).

> Entre le théâtre épique naturel et le *théâtre épique* artificiel, il n'y a pas de différence de nature au niveau de leurs éléments constitutifs. Notre théâtre du coin de la rue est rudimentaire ; le prétexte, la fin et les moyens du spectacle ne « valent pas cher ». Mais il s'agit, on ne peut le nier, d'un processus significatif dont la fonction sociale est claire et détermine chacun de ses éléments (p. 557-558).

L'art ne *s'oppose* pas à la nature, la littérature au discours quotidien : l'un *se transforme* en l'autre. L'écriture artistique se trouve prise dans le réseau de relations entre discours, et le langage, comme le disait aussi Döblin, doit être entendu dans sa pluralité. A cet égard, le point d'arrivée du mouvement formaliste coïncide avec le point de départ de Brecht.

Mais le centre d'intérêt de Brecht est ailleurs, et le rapprochement avec Döblin, plus significatif encore : il s'agit du « théâtre épique », exactement contemporain au « roman épique » de Döblin. Brecht s'est plu à reconnaître en Döblin

46

l'un de ses « pères illégitimes » et, dans une lettre adressée à Döblin, il explique ainsi son propre projet de dramaturge : « Il ne s'agit en réalité que de trouver une forme qui permettrait de transposer sur la scène ce qui fait la différence entre vos romans et ceux de Mann » (*Ges. Werke*, VIII, *Schriften II, Zur Literatur*..., 1967, p. 64). Même si Brecht n'est pas toujours aussi élogieux, il semble que la filiation, dans son esprit, concerne précisément l'idée de l'épique, car le mot apparaît chaque fois que Brecht se réfère à Döblin : « Dans une discussion, le grand auteur épique Alfred Döblin a fait au drame le reproche mortel d'être un genre artistique absolument incapable de donner une représentation vraie de la vie » (*Schriften I*, p. 118). « La nouvelle dramaturgie accédait à la forme épique (en s'appuyant une fois de plus sur les travaux d'un romancier, à savoir Alfred Döblin) » (p. 221). Mais le sens que Brecht va donner au terme d'« épique » n'est pas simplement celui de Döblin.

Il faut partir ici d'un des aspects le mieux connus de la doctrine de Brecht, à savoir sa critique de l'identification (*Einfühlung*, empathie). Brecht, on le sait, reproche au théâtre ancien, non épique, « aristotélicien », le fait que le spectateur est invité à s'identifier au personnage, ce qui est facilité par l'identification préalable du comédien à ce même personnage : les trois se fondent en un. La pensée classique sur le théâtre, affirme – peut-être à tort – Brecht, n'imagine pas d'autre forme de réception de la part du spectateur; c'est ce qui explique la pérennité de la théorie de la catharsis. Pour aboutir à cet effet, on cherche à maintenir le spectateur dans l'illusion qu'il a sous les yeux un segment de la vie, et non un spectacle; d'où l'image de la scène comme d'une pièce dont manquerait seulement le quatrième mur; et l'admiration professée par les spécialistes contemporains (l'école de Stanislavski) pour les effets d'illusion, le « faire croire », dont les meilleurs acteurs seraient capables. A ce genre de recommandations, Brecht rétorque ironiquement : « Sans recourir à l'art du comédien, rien qu'avec une dose suffisante d'alcool, on peut amener presque tout le monde à voir partout, sinon des rats, du moins des souris blanches » (p. 351).

La nouvelle esthétique du théâtre épique se déduit, négativement, à partir de cette critique. Le spectateur doit rester lucide, maître de sa faculté critique, et pour cette raison ne pas succomber à la tentation d'identification. Le devoir du dramaturge et du metteur en scène engagés dans l'expérience du théâtre épique est de l'aider dans son effort. Pour ce qui concerne l'auteur du texte, il pratique une forme de représentation du monde qui consiste, au lieu de reproduire les choses telles que nous sommes habitués à les percevoir, à les rendre au contraire étranges, non familières, à nous dépayser. Brecht se réfère d'abord à ce procédé par le mot *Entfremdung,* éloignement mais aussi aliénation; mais il change de terme peu après, sous l'influence, semble-t-il, des Formalistes russes et de la notion d'*ostranenie,* l'action de rendre étrange, introduite par Chklovski une dizaine d'années plus tôt. Brecht a pu prendre connaissance de ce développement parallèle (et légèrement antérieur) au cours de ses propres voyages à Moscou, où il fréquente notamment O. Brik; ou alors, dès 1931, par l'intermédiaire de S. M. Tretiakov, qui se rend cette année à Berlin et y fait la connaissance de Brecht. Tretiakov, ami d'Eisenstein et de Meyerhold, mais aussi de Chklovski et de Brik, est lui-même auteur de pièces d'« avant-garde »; à la fin des années trente, il subira le sort de ceux dont la notice biographique, dans la *Brève Encyclopédie littéraire* (soviétique), se termine par ces expressions laconiques : « Illégalement réprimé. Posthumement réhabilité [1] ». L'admiration entre les deux hommes semble avoir été réciproque : Brecht adapte l'une de ses pièces en allemand et l'appelle toujours « son maître »; alors que Tretiakov devient le traducteur de Brecht en russe. C'est sous l'effet de ces rencontres que Brecht modifie son terme, pour en faire une traduction exacte du mot russe : c'est la fameuse *Verfremdung,* distanciation, ou le *V-Effekt.*

Comme Chklovski, Brecht pense que ce procédé est commun à tous les arts, et il se plaît à le relever chez les peintres anciens (Breughel) comme chez les modernes : « La peinture distancie (Cézanne) quand elle accentue exagérément la forme creuse

1. Pour Tretiakov, on peut consulter Fritz Mierau, *Erfindung und Korrektur : Tretjakows Aesthetik der Operativität,* Berlin, Akademie-Verlag, 1976 (en faisant abstraction de l'angle d'approche); et S. Tretiakov, *Dans le front gauche de l'art,* Paris, Maspero, 1977. Brecht consacrera un poème à la disparition tragique de Tretiakov et ne croira jamais à sa culpabilité.

d'un récipient » (p. 364). Mais c'est bien sûr au théâtre qu'il se réfère le plus souvent, et il ne se lasse pas de répéter que l'auteur doit avant tout parvenir à transmettre cet effet d'étrangeté. « L'effet de distanciation consiste à transformer la chose qu'on veut faire comprendre, sur laquelle on veut attirer l'attention, de chose ordinaire, connue, immédiatement donnée, en une chose particulière, insolite, inattendue » (p. 355). Avant de pratiquer ce procédé, l'auteur partage avec son spectateur une attitude conventionnelle à l'égard des choses, qui consiste à les reconnaître sans vraiment les percevoir. Conscient de cette routine de la perception, l'auteur introduit dans son texte même un programme de perception différent; il agit sur son texte pour agir sur le spectateur. Et, grâce à l'effet de distanciation, ce spectateur ne s'identifie plus au personnage, et deux sujets apparaissent là où il n'y en avait qu'un seul.

Quels sont les moyens d'action sur le texte qui provoquent l'effet de distanciation? Une œuvre de langage possède des niveaux et des aspects multiples; mais, au cours de chaque époque, la convention littéraire fait qu'on associe les uns et les autres de façon stable et fixe. En brisant ces associations, en retenant certains éléments du cliché et en en changeant d'autres, on empêche la perception automatisée. Par exemple, si un sujet prosaïque est évoqué à l'aide de formes linguistiques précieuses, il sera distancié; et, de même, si un sujet « élevé » est traité en dialecte, plutôt que dans une langue littéraire châtiée. Parfois on obtiendra le même effet en passant du présent au passé, ou inversement; de la première à la troisième personne, etc. A côté de ces interventions touchant à la structure même du texte, on peut aussi faire apparaître le métatexte : faire lire, par exemple, les indications scéniques de l'auteur, destinées en principe à l'acteur et non au spectateur; dans ce cas, on fait entendre simultanément deux voix, décalées l'une par rapport à l'autre. Tous ces procédés rappellent ceux de la parodie, qui maintient, elle aussi, certains éléments de l'original en en modifiant d'autres, et qui introduit la dualité dans la voix même de l'auteur. Au théâtre, à côté de ces moyens textuels pour produire l'effet de distanciation, il en existe aussi d'autres, qui relèvent plutôt de la mise en scène. C'est parce que l'acteur s'était au préalable identifié au personnage que le spectateur le faisait à son tour; pour détruire la seconde identification, on s'attaquera donc à la première, et la pluralité des sujets sera rétablie à la place de l'unité. Brecht écrit dans « L'achat du cuivre » :

> L'effet de distanciation ne se produit pas quand le comédien, qui se compose un visage étranger, efface entièrement le sien propre. Ce qu'il doit faire, c'est montrer la superposition des deux visages (p. 610).

L'acteur montre la non-coïncidence entre lui et le personnage, fait entendre deux voix simultanément, ce qui empêche à son tour le spectateur de s'identifier à ce personnage.

> Le comédien doit rester démonstrateur; il doit rendre le personnage qu'il montre comme une personne étrangère et ne pas faire disparaître dans sa représentation toute trace du « il a fait ceci, il dit ceci ». Il ne doit pas arriver à se *métamorphoser intégralement* en ce personnage montré. [...] Il n'oublie jamais et ne laisse jamais oublier qu'il n'est pas le personnage montré mais le démonstrateur (p. 553).

Ou, selon la formule frappante d'un texte antérieur : « Chacun devrait s'éloigner de soi-même » (p. 189).

A côté de cette modification de sa relation au personnage, l'acteur peut aussi se rapporter différemment au spectateur, en s'adressant directement à lui, geste parallèle à la lecture des indications scéniques, et qui rappelle que le dialogue des personnages est enchâssé dans celui entre auteur et spectateur. Enfin, il peut aussi modifier son rapport à lui-même, et se montrer s'observant : « C'est ainsi que le comédien chinois obtient l'effet de distanciation : on le voit observer ses propres mouvements » (p. 346). Le résultat de tous ces procédés est que, au lieu de *jouer* les paroles du personnage, l'acteur les *cite* : « S'il a renoncé à la métamorphose intégrale, le comédien ne dit pas son texte comme une improvisation, mais comme une citation » (p. 344). Or, qu'est-ce que la citation, sinon un énoncé à double sujet d'énonciation, une situation où deux voix sont transmises à travers une parole unique?

Le metteur en scène peut aussi intervenir en utilisant des media autres que le texte. Son objectif ne sera pas de les faire tous contribuer à un effet unique, de les conduire à la fusion totale, mais d'utiliser chacun d'entre eux pour distancier l'autre : le geste sera dissonant au texte, ce qui aura pour effet de faire prendre conscience au spectateur de l'un et de l'autre; il en est ainsi pour l'introduction au théâtre de la musique, du cinéma, des masques, des décors mêmes :

> Que tous les arts frères de l'art théâtral soient donc invités ici, non pour fabriquer une « œuvre d'art totale » dans laquelle ils s'abandonneraient et se perdraient tous, mais pour que de pair avec l'art théâtral ils fassent avancer la tâche commune, chacun selon sa manière, et leurs relations les uns avec les autres consisteront à se distancier mutuellement (« Kleines Organon für das Theater », § 74, p. 698-699).

L'idéal de Brecht n'est pas un théâtre total, mais un théâtre de l'hétérogène, où la pluralité règne à la place de l'unité.

L'effet de distanciation n'est pas la seule caractéristique du théâtre épique; mais il en est comme la quintessence; tous ses autres traits peuvent s'y relier. Brecht insiste aussi sur la présence du narrateur sur scène; celui-ci incarne ainsi l'une des fonctions qui incombaient à l'acteur, et matérialise l'existence de l'échange auteur-spectateur. Le passé de la pièce et le présent de la représentation ne doivent pas se cacher mutuellement, mais coexister ouvertement. En se référant encore à Döblin, Brecht reprend l'idée schillérienne de l'autonomie des scènes dans l'épopée : les épisodes ne contribuent pas à une action unique, ne conduisent pas tous à un seul point culminant; leur juxtaposition (l'effet de « montage ») souligne leur hétérogénéité. « Comme nous l'avons appris, l'auteur découpe une pièce en petits morceaux autonomes, de manière que l'action avance par bonds. Il récuse l'insensible glissement des scènes les unes dans les autres » (p. 605). Le théâtre épique lui-même se définit donc par ce maintien de l'hétérogène et du pluriel.

La réponse que Brecht donne le plus souvent au pourquoi du théâtre épique est de type absolu et anhistorique. Il postule en fait que toute compréhension, toute connaissance exige une séparation entre sujet et objet, une distanciation; par conséquent, le théâtre épique n'est pas simplement une forme historiquement appropriée mais le meilleur moyen d'accéder à la vérité. « C'était l'éloignement *(Entfremdung)* indispensable pour qu'on pût comprendre. Admettre qu'une chose " se comprend toute seule ", n'est-ce pas tout simplement renoncer à la compréhension? » (p. 265). Du coup Brecht embrasse, sans le savoir peut-être, la position d'Aristote, pour qui l'étonnement est la mère de la connaissance. Mais la connaissance est-elle l'objectif ultime de l'art? C'est là que Brecht introduit une considération historique, en affirmant que nous vivons dans une « ère scientifique », où la voie de l'art rejoint celle de la science. « Pour que toutes ces choses données puissent lui apparaître [à l'homme] comme autant de choses douteuses, il lui faudrait développer ce regard étranger avec lequel le grand Galilée observa un lustre qui s'était mis à osciller » (« Kleines Organon », § 44, p. 681). Or il ne fait pas de doute pour Brecht que la science, la raison et la vérité sont des valeurs supérieures.

On pourrait voir dans cette construction une tentative pour faire accepter comme des valeurs universelles ce qui n'est, après tout, que les valeurs d'une époque, ou même celles d'un individu : Bertolt Brecht lui-même. Il s'agirait donc bien d'une attitude historique, mais de la pire espèce : inconsciente et égocentrique. Car il semble clair que l'explication de Brecht ne puisse être acceptée à la lettre : même si l'on admet que la dimension de vérité n'est pas étrangère à la littérature, on ne peut assimiler sa « vérité » à celle de la science; les énoncés scientifiques sont, pris un à un, vrais ou faux, alors que la question perd son sens si l'on a affaire aux phrases d'un roman. Qu'est-ce qui nous prouve donc que les procédés de découverte de la vérité doivent rester, ici et là, les mêmes?

Mais, à côté de cette première explication, Brecht en fournit aussi une autre, dont il assume le caractère historique et qui est mieux en accord avec ses autres idées, puisqu'elle établit une relation entre les transformations de la littérature et celles de la société. On sait que tel sera le sens de son débat avec Lukács, dans les années trente : alors que, pour ce dernier, il y a une essence du réalisme, atteinte par les classiques du xixᵉ siècle (Balzac et Tolstoï) et à laquelle on doit toujours aspirer, pour Brecht le réalisme est une notion au contenu variable, qui se définit par son efficacité ponctuelle et par son adéquation aux exigences du moment : si, au xxᵉ siècle, on imitait les « réalistes » du xixᵉ, on serait un « formaliste ». Et, dans ses écrits sur le théâtre épique, Brecht met volontiers en évidence la dépendance qu'il y a entre les formes de l'art et les réalités que celles-ci prennent en charge :

Rien que pour pouvoir saisir les nouveaux domaines thématiques, il faut déjà une forme dramaturgique et théâtrale nouvelle. Peut-on parler d'argent en vers ïambique? « Le cours du mark, avant-hier à cinquante, à cent dollars ce jour, demain au-delà, etc. » Est-ce là chose possible? Le pétrole est rebelle aux cinq actes (p. 197).

Voici donc l'explication historique de Brecht : l'esthétique de l'identification était en accord avec l'idéologie individualiste triomphante; à l'époque contemporaine, l'individu est en train de perdre son rôle dominant. « Le point de vue individuel ne permet plus de comprendre les processus décisifs de notre temps, les individus ne peuvent influer sur ceux-ci » (p. 245). A la place de l'individu, ce sont les éléments de l'environnement, les situations, les intérêts collectifs qui jouent le premier rôle; c'est pourquoi dans le théâtre épique les personnages individuels doivent se transformer en êtres exemplaires, ce qui n'est pas sans rappeler les héros de Döblin :

Ce n'est pas le grand individu passionné qui est l'initiateur et l'interpellateur du théâtre épique. Les questions y sont toujours posées par les situations, et les individus y répondent à travers le comportement typique qu'ils adoptent (p. 193).

Comme Döblin, donc, Brecht remonte à la différence dans le rôle joué par l'individu à l'époque des révolutions bourgeoises et aujourd'hui, et en arrive à un éloge de la pluralité au détriment de l'unité. On sait que l'idée de distanciation n'est pas nouvelle, puisqu'on peut observer la pratique depuis l'Antiquité jusqu'aux *Lettres persanes* de Montesquieu, et qu'on trouve des formulations théoriques la concernant dès l'époque du romantisme, chez Novalis, Shelley ou Hegel. Mais pour les romantiques comme encore pour Chklovski il s'agit simplement de renouveler la vision de l'objet; alors que Brecht met l'accent sur le dédoublement qui frappe le sujet du discours.

Brecht a rompu avec l'individualisme; mais non avec le relativisme. Comme Döblin, il valorise la présence de plus d'une voix en un seul et même sujet; mais, à la différence de Döblin, il ne précise pas la nature de cette autre voix : ce n'est plus celle du consensus social, la distanciation opère tous azimuts; pour Brecht, deux voix valent toujours mieux qu'une, quelle que soit leur nature. «Chacun devrait s'éloigner de soi-même» : la direction du mouvement semble être indifférente.

Le reste de l'œuvre de Brecht infirme cependant ce programme, et du coup jette un doute sur la possibilité même de sa réalisation. Loin de se réjouir ludiquement de la multiplication des voix, Brecht fait entendre, dans une œuvre souvent parfaitement monocorde, le son d'une idéologie acceptée comme vraie et indiscutable : celle du parti communiste. Tout se passe comme si Brecht ne pouvait concevoir d'autre alternative à la pluralité non hiérarchisée que l'adhésion à un dogme. Analyser l'œuvre de Brecht n'est pas mon propos ici; mais il m'est difficile de ne pas percevoir comme solidaires ces deux gestes apparemment contradictoires : l'éloge de la multiplicité, la pratique rigide de l'unité; chacun d'entre eux rend possible l'autre, et en même temps l'excuse. La distanciation ne comporte pas de référence à la vérité; mais c'est que Brecht possédait la sienne d'avance. Réciproquement, la vérité dogmatique qu'il a à transmettre, rendue «étrange» ou «distante», devient plus attirante. Heureusement, le «théâtre épique» de Brecht échappe, me semble-t-il, à ces reproches et dépasse chacun des deux dogmes propres à son auteur, l'esthétique et le politique : là, Brecht parvient à surmonter le double écueil du dogmatisme et du scepticisme.

Les critiques-écrivains
(Sartre, Blanchot, Barthes)

Les « critiques-écrivains », et non les « écrivains-critiques » :
je m'interrogerai, cette fois-ci, non sur la critique pratiquée par
des écrivains, mais sur celle qui devient elle-même une forme
de littérature, ou, comme on dit aujourd'hui d'un terme qui n'a
presque plus de sens à force d'avoir été employé, d'écriture; ou
en tous les cas où l'aspect littéraire acquiert une pertinence
nouvelle. De cette forme de critique, je choisis trois représentants qui ont marqué les lettres françaises d'après la Seconde
Guerre (peu importe, donc, s'ils ont ou non écrit des œuvres de
fiction par ailleurs) : Jean-Paul Sartre, Maurice Blanchot et
Roland Barthes.

I

Sartre est un polygraphe, or il n'y a pas de frontières
étanches entre sa philosophie, sa critique et même sa fiction.
Pour maintenir l'équilibre entre mes différents auteurs, je m'en
tiendrai ici aux principaux textes consacrés essentiellement à la
littérature. A vrai dire, Sartre ne parle pas de *la* littérature
mais de ses deux grandes espèces, poésie et prose; et il faut
examiner séparément ses vues sur l'une et l'autre.

La poésie est ce qui, dans la littérature, s'assimile aux autres
arts : peinture, sculpture, musique. Quelle est sa définition?

> Les poètes sont des hommes qui refusent d'*utiliser* le langage. [...]
> Le poète s'est retiré d'un seul coup du langage-instrument; il a
> choisi une fois pour toutes l'attitude poétique qui considère les
> mots comme des choses et non comme des signes (*Qu'est-ce que la
> littérature?* 1948, rééd. 1969, p. 17-18).

Cette transformation dans la fonction du langage en entraîne une dans sa structure : les mots du poète ressemblent aux choses qu'il évoque, le rapport du signifiant au signifié est motivé.

> La signification [...] devient naturelle [...]. Le poète [...] choisit l'image verbale [...] pour sa ressemblance avec le saule ou le frêne [...]. Le langage tout entier est pour lui le Miroir du monde. [...] Ainsi s'établit entre le mot et la chose signifiée un double rapport réciproque de ressemblance magique et de signification (*ibid.*, p. 19-20).

Saint Genet (1952) enrichit le tableau de notations diverses mais ne change rien au schéma de base; et l'opposition *signification/sens,* dont se sert Sartre pour définir la poésie, est calquée sur le couple romantique allégorie/symbole. La doctrine romantique apparaît ici sans aucun déguisement, telle qu'on pouvait la lire chez Moritz, Novalis ou A.W. Schlegel (même si Sartre la découvre plutôt à travers Valéry, Blanchot ou Mallarmé) : la poésie se définit par l'intransitivité du langage et par la relation motivée entre signifiants et signifiés, une forme de cohérence interne.

Sartre ne cache pas cette filiation; les références aux écrits de Blanchot sur Mallarmé, par exemple, sont très fréquentes dans *Saint Genet*. Mais à une réserve près : l'ayant cité, il écrit en note :

> Blanchot ajoute : « Peut-être cette supercherie est-elle la vérité de toute chose écrite. » C'est là que je ne le suis plus. Il devrait distinguer de ce point de vue la poésie et la prose (p. 288).

C'est donc du côté de la prose qu'il faut chercher la contribution originale de Sartre, alors que, pour la poésie, il se contente de rappeler ce qui lui apparaît comme des vérités un peu oubliées, mais communes.

La prose, elle, n'est pas une activité qui trouve sa fin en elle-même. L'écrivain-prosateur, dit Sartre dans *Qu'est-ce que la littérature?* « a choisi de dévoiler le monde et singulièrement l'homme aux autres hommes pour que ceux-ci prennent en face de l'objet ainsi mis à nu leur entière responsabilité » (p. 31). C'est la forme même de la prose littérature qui lui fait jouer ce rôle de maître en responsabilité et donc en liberté; c'est que

« l'univers de l'écrivain ne se dévoilera dans toute sa profondeur qu'à l'examen, à l'admiration, à l'indignation du lecteur » (p. 79). Or, si c'est finalement au lecteur de décider du sens de mon œuvre, je l'incite constamment à exercer sa liberté; réciproquement, lecteur, par mon acte même de lecture, je reconnais la liberté de l'écrivain. C'est pourquoi « l'art de la prose est solidaire du seul régime où la prose garde un sens : la démocratie », et « écrire, c'est une certaine façon de vouloir la liberté » (p. 82). L'*engagement* sartrien n'est rien d'autre qu'une prise de conscience de cette fonction inhérente à la prose littéraire, bien qu'il garde un double sens : l'écrivain est à la fois « engagé » au sens où il participe forcément de son temps, qu'il est en « situation », et au sens où il assume son rôle de guide vers la liberté, et donc vers le dépassement de cette situation : « A chaque mot que je dis, je m'engage un peu plus dans le monde, et du même coup j'en émerge un peu davantage puisque je le dépasse vers l'avenir » (p. 29). L'art engagé n'est pas un art soumis à des objectifs politiques, mais un art conscient de son identité; il se situe à égale distance de la « pure propagande » (à laquelle on a parfois tendance à l'assimiler) et du « pur divertissement » (p. 356), limite touchée par la poésie. Quoi qu'il en soit, la prose (la littérature) est définie par une fonction sociale transhistorique, qui ne se laisse pas déduire de l'idéologie individualiste et relativiste des romantiques, puisqu'elle touche à des valeurs absolues : « Bien que la littérature soit une chose et la morale une tout autre chose, au fond de l'impératif esthétique nous discernons l'impératif moral » (p. 79).

Saint Genet est moins explicite là-dessus. Il reste qu'ici le prosateur, à l'opposé du poète, est toujours celui pour qui « le langage s'annule au profit des idées qu'il a véhiculées » (p. 509), il est du côté de la transparence face à l'opacité poétique. Dans ce livre, c'est à une autre implication de l'opposition que s'attache Sartre : c'est qu'en poésie le jeu se joue entre le poète et le langage, le rôle du lecteur étant purement passif; alors que, dans la prose, c'est le langage qui est passif, et soumis à l'essentiel, qui est la communication entre auteur et lecteur : « La prose se fonde sur cette réciprocité de reconnaissance » *(ibid.).* Or la communication est un acte social, et la prose a donc une fonction autre que d'être elle-même : on est encore à l'extérieur du schéma romantique. Pourtant, un problème va surgir. Le lecteur est constitutif de la littérature, répète Sartre :

> L'objet littéraire est une étrange toupie, qui n'existe qu'en mouvement. Pour la faire surgir, il faut un acte concret qui s'appelle la lecture, et elle ne dure qu'autant que cette lecture peut durer (*Qu'est-ce que la littérature?* p. 52).

> Tout ouvrage littéraire est un appel. Écrire, c'est faire appel au lecteur pour qu'il fasse passer à l'existence objective le dévoilement que j'ai entrepris par le moyen du langage (*ibid.*, p. 59).

Toute la structure de ce livre de Sartre tend à confirmer l'importance de la lecture et du lecteur : la question qui sert de titre au premier chapitre, « qu'est-ce qu'écrire », ne trouve sa réponse que si l'on sait « pourquoi écrire » (titre et thème du second chapitre), or, on ne comprend le « pourquoi » que par une troisième question (et un troisième chapitre) : « pour qui écrit-on? », clé de voûte de l'ouvrage tout entier.

Or, ce lecteur, pense Sartre, est forcément *un* lecteur, situé dans le temps et dans l'espace. L'identité de l'acte littéraire est donc historiquement déterminée. « Même s'il guigne des lauriers éternels, l'écrivain parle à ses contemporains, à ses compatriotes, à ses frères de race ou de classe » (p. 88). La chose serait sans importance si le rôle du lecteur était limité; comme il est, au contraire, décisif, toute la littérature se trouve amputée de sa dimension universelle. Le lecteur (et donc aussi l'auteur, et le sens même de l'œuvre) se caractérise par son *historicité* (p. 90); et Sartre conclut sur cette comparaison célèbre : « Il paraît que les bananes ont meilleur goût quand on vient de les cueillir : les ouvrages de l'esprit, pareillement, doivent se consommer sur place » (p. 96). Ce qui n'est qu'une affaire du plus ou moins pour les bananes devient un impératif pour les livres : *le* meilleur sens est donné par les lecteurs auxquels ils ont été originellement adressés. L'esquisse d'histoire de la littérature française, qui remplit le milieu de ce troisième chapitre, illustre le programme, puisque Sartre distingue quelques grandes périodes du passé, caractérisée chacune par un rapport particulier entre auteurs et lecteurs : Moyen Age, classicisme, XVIIIe siècle, etc.; et il met en évidence tout ce que la littérature de cette période doit à ce rapport.

Un tel résultat a quelque chose de décevant. Non parce que les analyses de Sartre sont – forcément – partielles et hâtives : il ne pouvait pas en être autrement dans un écrit programmatique. Ni parce que les faits qu'elles révèlent (la détermination des œuvres par les attentes du public) n'existent pas; bien au contraire; et on sait que cette suggestion de Sartre a été abondamment exploitée dans l'«esthétique de la réception», qui fleurit depuis une vingtaine d'années en Allemagne. Mais parce que, dans cette optique de déterminisme historique, tous les chats sont gris (ou plus grave : on ne trouve que des chats) : tous les écrivains subissent pareillement la pression de l'histoire car ils écrivent pour le même public. L'expérience immédiate de la littérature nous fait sentir une énorme différence entre deux écrivains contemporains; or, le cadre conceptuel proposé par Sartre ne permet pas de distinguer entre Flaubert et les Goncourt. Sartre posait au point de départ que la littérature était un lieu d'interaction : de la situation particulière et de la liberté universelle. Parvenue à la fin, cependant, l'image s'est appauvrie : la dimension universelle s'est perdue en cours de route. Une conception historiciste de la littérature rejoint le relativisme romantique, et toute la différence qui devait séparer la prose de la poésie se réduit finalement à peu de chose, puisque ici comme là règne l'immanence; seule en varie la nature : esthétique d'un côté, historique de l'autre.

Sartre lui-même sent le danger, et s'en défend dans les pages qui suivent sa brève histoire de la littérature. «Si l'on devait y voir [dans ce travail] une tentative, même superficielle, d'explication sociologique, il perdrait toute signification» (p. 183-184). Il revient à l'exigence dialectique du début : son but était, nous dit-il, de «découvrir au bout, fût-ce comme idéal, l'essence pure de l'œuvre littéraire et, conjointement, le type de public – c'est-à-dire de société – qu'elle exige» (p. 186). «C'est un caractère essentiel et nécessaire de la liberté, écrit-il encore, que d'*être située*. Décrire la situation ne saurait porter atteinte à la liberté» (p. 184). C'est pourtant bien ce qui se passe, et les phrases de Sartre ne sont plus qu'une pétition de principe. La liberté et l'essence se sont égarées en chemin; nous ne disposons plus que de la situation et de la société, et cela est peu. Ou plutôt, Sartre a habilement dissimulé ces instances universelles, pour les ressortir de nouveau, tel un prestidigitateur, et en faire la récompense d'une course dont on n'est pas près d'entrevoir la fin : « La littérature en acte ne peut s'égaler à son essence plénière que dans une société sans classes » (p. 191). En attendant, et dans le monde ici-bas, « qu'il se réclame du Bien et de la perfection divine, du Beau ou du Vrai, un clerc [donc un écrivain, un intellectuel] est toujours du côté des oppresseurs. Chien de garde ou bouffon : à lui de choisir » (p. 193). Triste choix; mais aussi : piètre résultat.

Si la littérature ne réalise son essence que dans la société sans classes, alors que dans le monde réel elle est entièrement en situation, on aura accepté un morne présent parce qu'il était accompagné d'une belle promesse : on reconnaît là une structure idéologique caractéristique des pays du « socialisme réel ». Or la littérature, on le sent intuitivement, nous fait vivre à tout instant son appartenance historique particulière *et* son aspiration universelle; elle est liberté *en même temps que* déterminisme; et c'est cette intuition qu'on voudrait pouvoir expliciter et expliquer, plutôt que de se bercer d'utopies paramarxistes.

Comment se fait-il que, parti d'un constat juste – la pertinence du lecteur –, Sartre soit parvenu à une conclusion si décevante? A comparer les idées de Sartre et celles de Bakhtine, qui, on le verra, lui est proche à bien des égards, on trouve peut-être une réponse. Bakhtine, lui aussi, tient à souligner toujours le rôle du lecteur, qui décide, autant que l'auteur, du sens d'un texte : non parce qu'il peut y projeter n'importe quel sens, cela c'est de la désinvolture qu'on aurait tort d'ériger en règle, mais parce que l'auteur écrit en vue d'un lecteur, en anticipant sa réaction, et parce qu'il est lui-même un lecteur de ses prédécesseurs. Mais, à côté de ces destinataires particuliers et historiques, dit Bakhtine, l'auteur en imagine un autre, un « surdestinataire » dont la compréhension serait juste absolument, qui ne souffrirait plus d'aucune limitation :

L'auteur ne peut jamais se livrer entièrement, lui-même et toute son œuvre verbale, à la volonté complète et *définitive* des destinataires présents ou proches (les descendants proches peuvent se tromper également) et il imagine toujours (en en étant plus ou moins conscient) une sorte d'instance supérieure de compréhension répondante. [...] Cela découle de la nature du discours, qui veut toujours être *entendu,* qui cherche toujours une compréhension répondante, et ne s'arrête pas à la compréhension *la plus proche,* mais se fraie un chemin de plus en plus loin (sans limites) [*Estetika...,* p. 306].

Ne serait-ce pas cet oubli du « surdestinataire » qui aurait conduit Sartre aux conclusions historicistes de *Qu'est-ce que la littérature?*

Sartre a peut-être éprouvé lui-même une certaine insatisfaction devant son programme, car ses ouvrages consacrés à la littérature n'en sont pas de dociles illustrations. Il s'agit de quatre livres (et d'un certain nombre d'articles) : *Baudelaire* (1947), *Saint Genet comédien et martyr* (1952), *les Mots* (achevé en 1954, publié en 1963) et *l'Idiot de la famille* (trois tomes, 1971 et 1972). Les sujets mêmes de ces livres le suggèrent : ce sont quatre écrivains (Baudelaire, Genet, Sartre lui-même et Flaubert), et non quatre publics; le lecteur reste présent dans les analyses de Sartre, mais non plus comme un lecteur réel et historique, existant en dehors du livre; non, il s'agit plutôt du lecteur imaginé et construit par chacun de ces auteurs, intérieur donc à son œuvre. Dans ces livres, on reste résolument du côté de l'écrivain.

La chose est si vraie qu'on pourrait hésiter à inclure ces ouvrages dans le genre « critique » : il s'agit de biographies « existentielles », qui, dans deux cas (Sartre et Flaubert), s'arrêtent avant la véritable création littéraire. C'est du reste le projet explicite de Sartre. Les premières phrases de *l'Idiot de la famille* disent :

Son sujet : que peut-on savoir d'un homme aujourd'hui? Il m'a paru qu'on ne pouvait répondre à cette question que par l'étude d'un cas concret : que savons-nous – par exemple – de Gustave Flaubert? (t. I, p. 7).

Il y a certainement de la provocation dans ce « par exemple »; mais c'est bien l'homme qui intéresse Sartre, non l'écrivain. Tel était déjà le projet du *Saint Genet :* « rendre compte d'une personne en sa totalité » (p. 536); et la dernière phrase du *Baudelaire* affirme :

> Les circonstances quasi abstraites de l'expérience lui ont permis de témoigner avec un éclat inégalable de cette vérité : le choix libre que l'homme fait de soi-même s'identifie absolument avec ce qu'on appelle sa destinée (rééd. 1963, p. 245).

Baudelaire n'est donc que le témoin – particulièrement éloquent, il est vrai – d'une vérité humaine générale; la littérature n'entre pas en tout cela pour grand-chose.

Et pourtant, il s'agit bien, dans les quatre cas, d'écrivains; le choix ne peut être tout à fait fortuit. La thèse défendue par Sartre dans ses biographies renoue avec une partie de la problématique de *Qu'est-ce que la littérature?* C'est celle de la relation entre liberté et déterminisme; et, si dans l'ouvrage programmatique Sartre penchait, presque contre sa volonté, du côté du déterminisme, ici, comme pour mieux montrer qu'il n'en est rien, il se réclame du principe de liberté. C'est pour cela qu'il n'est plus question du public, et c'est pour cela que la « destinée de l'homme » s'identifie au libre choix qu'il fait. Telle serait aussi l'intention du *Saint Genet :* « montrer les limites de l'interprétation psychanalytique et de l'explication marxiste », c'est-à-dire des analyses causales; « retrouver le choix qu'un écrivain fait de lui-même », « retracer en détail l'histoire d'une libération » (p. 536).

La vie est donc liberté plutôt que fatalité. Mais qu'en est-il des œuvres? Sartre n'aborde pas la question de front, mais toute sa pratique est là pour en témoigner. Confronté aux œuvres (à quoi d'autre pouvons-nous être confrontés chez Baudelaire ou chez Flaubert, quelle autre raison aurions-nous à choisir ces « exemples », ces « témoins »?), il analyse les vies, il écrit des biographies : il est difficile de ne pas penser que seule une relation causale des unes aux autres justifie un tel choix. Et voici que le déterminisme, là répudié, revient ici en force, et avec lui l'explication historiciste de la littérarure, et le relativisme des modernes. Le refus de s'occuper des « messages intemporels », que proclamait le premier chapitre de *Qu'est-ce que la littérature?* n'avait rien de feint.

Une longue note du *Saint Genet,* affublée elle-même de deux notes, précise les idées de Sartre sur la critique : la critique est objective plutôt que subjective. Entendons par là que, même si le critique projette sa personnalité sur l'œuvre étudiée (et donc aussi son époque, son milieu, etc.), il se soumet finalement à un objet qui existe en dehors de lui :

> Si l'objectivité, dans une certaine mesure, est déformée, elle est aussi bien *révélée* (p. 517).

> Sans doute le critique peut « forcer » Mallarmé, le *tirer à soi*; c'est justement la preuve qu'il peut aussi l'éclairer dans sa réalité objective. [...] Dans un *bon* ouvrage critique, on trouvera beaucoup de renseignements sur l'auteur critiqué et quelques-uns sur le critique. [...] Contre les banalités subjectivistes qui tentent partout de noyer le poisson, il faut restaurer la valeur de l'objectivité (p. 518).

Objectivité : donc indépendance du contexte (celui du critique), dans anti-historicisme. Mais de quelle objectivité s'agit-il? Les deux notes à la note en donnent deux exemples bien différents. La première cite en instance de « vérité transhistorique » : « Descartes a écrit le *Discours de la méthode.* » C'est une vérité objective, mais elle n'a rien d'absolu (d'« éternel », dit Sartre) : une vérité de fait, qui n'est qu'un préliminaire au travail du critique, lequel ne commence proprement qu'avec l'interprétation. La deuxième note donne un exemple bien plus intéressant de refus du subjectivisme : « " Je réprouve la peine de mort ", disait Clemenceau. Et Barrès, qui aimait bien la guillotine : " M. Clemenceau ne peut pas supporter la vue du sang. " » La condamnation de la peine de mort a une objectivité d'une nature toute différente : elle ne peut être vraie par rapport aux faits, mais elle aspire à la justice universelle; et il est évidemment fallacieux de la réduire à l'expression d'un penchant personnel.

Mais cette objectivité-là est rare dans l'œuvre de Sartre. Dans sa réflexion critique, il est du côté de Barrès plutôt que de Clemenceau. Quel intérêt, sinon, de savoir que l'artiste est « toujours du côté des oppresseurs »? Pourquoi nous dire, après avoir constaté que les critiques tiennent aux « messages », que le « critique vit mal, sa femme ne l'apprécie pas comme il faudrait, ses fils sont ingrats, les fins de mois difficiles » (*Qu'est-ce que la littérature?* p. 36)? Pourquoi, pour comprendre Flaubert et Baudelaire, Genet et Sartre, faut-il en écrire les biographies, si ce n'est parce que le sens de leurs œuvres, loin d'être objectif et universel, à la manière de la réprobation de la peine de mort, dépend, comme les opinions de Clemenceau selon Barrès, de leurs penchants individuels?

Ne confondons pas deux sens de l'opposition subjectif/objectif. Celui auquel pense Sartre dans l'anecdote sur Barrès est proche de l'opposition entre particulier et universel : réductible aux circonstances ou en relation avec l'absolu. Mais dans un autre passage il assimile sujet et volonté (et liberté), objet et soumission (et déterminisme); le sujet, c'est moi, l'objet, c'est l'autre, tant que je ne lui ai pas reconnu une dignité égale à la mienne, tant que je ne lui cède pas la parole.

> Je suis sujet pour moi dans la mesure même où mon prochain est objet à mes yeux [...]. Un chef n'est jamais un objet pour ses subordonnés ou alors il est perdu; il est rarement sujet pour ses supérieurs (*Saint Genet,* p. 542).

Or, en parlant de la critique, Sartre glisse insensiblement du premier sens au second : « L'homme est objet pour l'homme », écrit-il pour combattre la subjectivité critique (p. 518).

Et, de ce point de vue, la critique de Sartre est bien objective (alors qu'elle restait subjective dans le premier sens du mot, puisque se conformant à l'argument Barrès). De Sartre à Genet, de Sartre à Baudelaire, à Flaubert, il n'y a pas de dialogue; il y a d'un côté Sartre qui parle, qui se confond avec la vérité universelle (puisque chaque cas l'illustre : Baudelaire comme Genet choisissent leur vie), qui fait le tour de son auteur, qui l'englobe entièrement, qui le transforme, à la lettre, en objet. Quelqu'un lui fait remarquer que, pour Genet, c'est une manière d'assimiler le vivant au mort. Il proteste : « Pourquoi voudrais-je, *moi,* l'enterrer? Il ne me gêne pas » (p. 528). Genet, même s'il a senti le coup, s'en est relevé. Mais la tolérance (« il ne me gêne pas ») suffit-elle? De l'autre côté, en effet, il y a les auteurs privés de voix, dont les œuvres sont réduites à la subjectivité historique en même temps qu'à l'objectivité de la chose. Les autres sont privés de leur capacité de dépasser la singularité de leur situation; lui-même n'intervient que comme le détenteur de la vérité impersonnelle. Si la relation sujet-objet est bien hiérarchique, au nom de quoi le critique, général d'une armée morte, détiendrait-il la supériorité?

Mais, pour qu'il y ait dialogue, il faudrait croire que la

recherche commune de la vérité est légitime. Or, pour Sartre, et en attendant la société sans classes, ou la vérité est un dogme indiscutable (c'est la philosophie existentielle, énoncée toujours sur un ton péremptoire, même si le contenu des affirmations change d'un livre à l'autre), ou elle est singulière, relative à un contexte, à une vie, à un milieu. Sartre passe sans transition du dogmatisme au scepticisme, sans s'arrêter en chemin, enfermé toujours dans son monologue.

Cependant il faut ajouter ici que les livres de Sartre ne se réduisent pas aux idées qu'ils véhiculent. Une première manière de décrire ce surplus de sens réside déjà dans ce constat : ils rendent nécessaire la distinction entre l'idée et l'œuvre, alors qu'il s'agit d'ouvrages critiques. Ce n'est pas simplement qu'ils sont, comme on dit, « bien écrits ». Ils le sont; cela est l'évidence même; non seulement à cause de la facilité du débit mais aussi par le bonheur de la métaphore (« Sa phrase cerne l'objet, l'attrape, l'immobilise et lui casse les reins, se referme sur lui, se change en pierre et le pétrifie avec elle », *Qu'est-ce que la littérature?* p. 162) et par la vivacité du trait polémique (« Il y a quelque chose de commun, qui n'est point le talent, entre Joseph de Maistre et M. Garaudy [...]. M. Garaudy m'accuse d'être un fossoyeur [...]. J'aime mieux être fossoyeur que laquais », *ibid.,* p. 308, 317). Mais ces éclats de style n'auraient pas suffi pour changer le statut des idées; or, c'est bien ce qui se produit. On a reproché aux romans de Sartre d'être trop philosophiques; par bonheur, ses écrits critiques sont proches du roman. Non que l'écriture romanesque soit intrinsèquement supérieure à toute autre; mais, sans s'en apercevoir peut-être, Sartre modifie notre perception du genre critique (et, du coup, de toute connaissance de l'homme). Sa propre description de ce genre comme une objectivité coupée de quelque subjectivité est visiblement un peu courte; sinon, pourquoi Sartre écrit-il ces livres aux formes inédites? Passe encore pour le *Baudelaire,* un essai après tout, ou pour *les Mots,* presque une autobiobraphie; mais *Saint Genet*! On demande à Sartre une préface, il apporte un énorme volume, où il raconte un roman, produit des analyses stylistiques, réfléchit sur l'altérité. Il y a là un risque (formel) évident, qui serait incompréhensible si cette forme, ou plutôt l'impossibilité de s'en passer, ne voulait dire quelque chose. Il en va de même pour *l'Idiot de la famille,* sauf qu'ici le pari est perdu : le projet est étouffé par sa propre hypertrophie, et le livre, sans être illisible, ne sera pas lu. Mais ne perd que celui qui a risqué.

Je ne veux pas du tout dire qu'il faille savourer les phrases de Sartre « pour elles-mêmes », comme il pensait qu'on devait goûter la poésie (ce qui serait une vision « romantique » de la critique). Mais plutôt : Sartre a découvert, dans sa pratique plutôt que dans sa théorie, que dans la connaissance de l'homme et de ses œuvres, la « forme » prise par notre recherche est indissociable de la recherche même. Le style métaphorique de Sartre, lui aussi, est une nécessité, non un ornement. *Saint Genet* n'est qu'un livre de critique, et pourtant sa lecture est une aventure : voilà le mystère. Pourquoi il en est ainsi, que signifie ce pont jeté entre la « prose » et la « critique », nous ne le savons pas encore; mais il est certain que, par l'influence, souvent souterraine, qu'ont exercée les livres de Sartre (et non plus ses idées), toute notre image de la critique s'est trouvée profondément modifiée.

II

L'œuvre de Blanchot critique est si brillante qu'elle finit par poser un problème. Ses phrases, limpides et mystérieuses à la fois, exercent une attraction incontestable; pourtant, l'effet final est paralysant : toute tentative pour interpréter Blanchot dans un langage autre que le sien semble frappée d'un interdit imprononcé; l'alternative devant laquelle on se trouve amené paraît être celle-ci : admiration silencieuse (stupeur) ou imitation (paraphrase, plagiat). Un numéro de la revue *Critique* de 1966, consacré à l'œuvre de Blanchot, illustre bien la seconde variante (à deux exceptions près, Poulet et De Man). C'est encore Blanchot qui semble écrire sous la plume de Michel Foucault : « l'invincible absence », « le vide qui lui sert de lieu », « loi sans loi du monde », « la présence réelle, absolument lointaine, scintillante, invisible » (p. 526-527); ou de Françoise Collin : « le silence est parole, la mémoire, oubli, la vérité, erreur » (p. 562); ou de Jean Pfeiffer : « nulle part est bien en quelque sorte le fond de cet espace sans fond » (p. 577). Quelques-uns le déclarent ouvertement : « Ce commentaire, je le redoute, n'est qu'une sorte de paraphrase [...]. Il est difficile de parler de Blanchot sans subir une étrange fascination, sans être captivé par la voix même de l'écrivain » (J. Starobinski, p. 513). « Tout doit se dire ici sous la modalité du " peut-être " comme le fait Blanchot lui-même » (E. Lévinas, p. 514). Paraphrase ou silence : tel semble être le lot de tous ceux qui essaient de comprendre Blanchot; une belle phrase de Roger Laporte recommande la seconde attitude tout en pratiquant la première :

> Tous les livres refermés, si l'on se demande : « mais enfin de quoi nous parle l'œuvre de Blanchot? », on sent bien qu'il est impossible de répondre, qu'il n'y a pas de réponse à cette question. Une parole parle, mais elle ne dit rien, elle ne fait que parler; parole vide mais non point parole du vide, elle ne montre pas, mais désigne, et ainsi par cette parole même l'inconnu se met à découvert et demeure inconnu (p. 589-590).

Après ces injonctions, explicites ou implicites, on se sent d'avance dans son tort si l'on essaie de briser l'« étrange fascination » et de chercher à savoir ce que dit exactement Blanchot de la littérature et de la critique. Pourtant, le langage est un bien commun; les mots, et les constructions syntaxiques, ont un sens qui n'a rien d'individuel. La poésie est intraduisible, dit-on; mais la pensée ne l'est pas; or, il doit bien y avoir, dans les milliers de pages de critique publiées sous ce nom, une pensée de Blanchot. Je vais donc accepter le rôle ingrat du goujat et chercher à traduire dans mes termes cette parole qui ne dit rien.

La réflexion de Blanchot sur la littérature naît du commentaire de quelques phrases de Mallarmé, rappelées tout au long de son œuvre.

Mallarmé a écrit : « double état de la parole, brut ou immédiat ici, là essentiel »; et Blanchot commente :

> D'un côté, la parole utile, instrument et moyen, langage de l'action, du travail, de la logique et du savoir, langage qui transmet immédiatement et qui, comme tout bon outil, disparaît dans la régularité de l'usage. De l'autre la parole du poème et de la littérature, où parler n'est plus un moyen transitoire, subordonné et usuel, mais cherche à s'accomplir dans une expérience propre (*le Livre à venir,* 1959, p. 247).

Le mot de la langue quotidienne « est d'usage, usuel, utile ; par lui, nous sommes au monde, nous sommes renvoyés à la vie du monde, là où parlent les buts et s'impose le souci d'en finir. [...] La parole essentielle est, en cela, opposée. Elle est, par elle-même, imposante, elle s'impose, mais elle n'impose rien » (*l'Espace littéraire*, 1955, p. 32). En poésie, les mots « ne doivent pas servir à désigner quelque chose ni donner voix à personne, mais ils ont leurs fins en eux-mêmes » (*ibid.*, p. 34).

La parole poétique est une parole instransitive, qui ne sert pas ; elle ne signifie pas, elle est. L'essence de la poésie est dans la recherche qu'elle conduit de son origine. Tels sont les lieux communs romantiques que Blanchot lit dans Mallarmé, et qui domineront la doctrine exposée dans *l'Espace littéraire* et dans *le Livre à venir*.

La pensée de Blanchot se moule ici sur un schème historique, d'inspiration hégélienne. Depuis deux siècles, l'art subit une double transformation : il a perdu sa capacité de porter l'absolu, d'être souverain ; mais la perte de cette fonction externe est comme compensée par une nouvelle fonction, interne : l'art se rapproche de plus en plus de son essence. Or, l'essence de l'art, c'est, tautologiquement, l'art lui-même ; ou plutôt la possibilité même de la création artistique, l'interrogation sur le lieu d'où surgit l'art (par là, cette idée s'apparente encore à la doctrine romantique qui valorise, dans l'art, sa production et son devenir). Les mots clés de Blanchot seront donc : origine, commencement, recherche. Ce n'est qu'aujourd'hui, après avoir été divin et humain, et ne pouvant plus l'être, que l'art devient cette quête obstinée de son origine. Aujourd'hui,

> ce que l'art veut affirmer, c'est l'art. Ce qu'il cherche, ce qu'il essaie d'accomplir, c'est l'essence de l'art. [...] Tendance que l'on peut interpréter de bien des façons différentes, mais elle révèle avec force un mouvement qui, à des degrés et selon des schèmes propres, attire tous les arts vers eux-mêmes, les concentre dans le souci de leur propre essence, les rend présents et essentiels (*l'Espace littéraire*, p. 228-229).

Tous les écrivains authentiquement modernes, tous ceux qui composent le panthéon de Blanchot, se caractérisent par ce trait précisément. Hölderlin, Joubert, Valéry, Hofmannsthal,

Rilke, Proust, Joyce, Mann, Broch, Kafka, Beckett, soudain réunis, comme les contemporains chez Sartre, affirment une seule et même chose; tristement semblables les uns aux autres, ils répètent que l'art est une recherche sur l'origine de l'art.

Ce qui frappe dans ce schème n'est pas seulement son extrême fragilité empirique, plus grande encore que celle de l'histoire littéraire proposée par Sartre, mais aussi cet autre trait bien hégélien, le privilège exorbitant accordé au temps présent. Privilège que Blanchot défend ouvertement sans jamais le mettre en doute : aujourd'hui, écrit-il, « l'art apparaît pour la première fois comme une recherche où quelque chose d'essentiel est en jeu » (p. 229), et ailleurs :

> Aujourd'hui il s'agit manifestement d'un changement bien plus important [qu'à la Révolution française], dans lequel viennent se rassembler tous les bouleversements antérieurs, ceux qui ont eu lieu dans le temps de l'histoire, pour provoquer la rupture de l'histoire (*l'Entretien infini*, 1969, p. 394-395).

Le moment présent est celui où culmine, et par là même s'abolit, toute l'histoire...

L'intransivité de la parole, l'œuvre tournée vers sa propre origine, ce sont peut-être là les caractéristiques d'une certaine production littéraire, pendant une certaine période, en Europe occidentale; les caractéristiques d'une culture à laquelle Blanchot appartient. Mais pourquoi lui, qui aime proclamer par ailleurs la nécessité de reconnaître l'autre, n'a-t-il de regard que pour ceux qui lui ressemblent? Les exemples contredisant cette description de la littérature sont trop abondants et viennent trop facilement à l'esprit pour qu'il soit nécessaire de les citer. Pourquoi ne s'aperçoit-il pas que, pendant qu'il déclarait le roman « un art sans avenir », sous d'autres cieux, voire sous les mêmes, le roman allait connaître des transformations nouvelles et surprenantes, le mettant loin de la parole intransitive comme de la pure recherche de sa propre origine? Tout ce qu'on peut dire, c'est que l'œuvre de Blanchot témoigne, implicitement, de l'acceptation de cet idéal-là, et d'aucun autre, puisqu'elle-même devient parole intransitive, question inlassablement agitée mais jamais résolue; explicitement, elle déclare que nous (mais qui sommes-« nous »? les Occidentaux? les Européens? les Parisiens?) sommes le moment ultime, indépassable de l'histoire. A supposer même que la description de notre temps faite par Blanchot soit fidèle, pourquoi le présent serait-il le temps suprême? N'y aurait-il là quelque trace de ce que les psychologues de l'enfance appellent l'« illusion égocentrique »?

Blanchot ne s'est pas contenté de pratiquer la critique, ou de s'y référer en passant; il lui a consacré aussi un bref texte, intitulé « Qu'en est-il de la critique? », publié en tête de son *Lautréamont et Sade* (1963, rééd. 1967). Il y part de ce qu'il considère comme une évidence : c'est que l'idéal du commentaire est de se rendre invisible, de se sacrifier sur l'autel de la compréhension de l'œuvre. Une telle expérience implique, pourrait-on croire, une discontinuité radicale entre la littérature et la critique – l'une affirme, l'autre s'efface – et interdit au critique d'assumer une voix qui lui serait propre. Elle serait commune à Blanchot et à la critique historique du début du siècle (Lanson : « Nous voulons être oubliés, et qu'on ne voie que Montaigne et Rousseau »), ainsi qu'aux descriptions « scientifiques » faites de nos jours, où l'on croit éliminer toute subjectivité en remplaçant les mots par des formules. S'il y a une différence dans l'idéal de l'un et des autres, elle n'est que dans l'élégance avec laquelle s'exprime Blanchot : il dit par exemple que la critique est comme la neige qui, tombant, fait vibrer une cloche; qu'elle doit s'effacer, disparaître, s'évanouir. Le critique « ne fait rien, rien que laisser parler la profondeur de l'œuvre » (p. 10). « La parole critique, sans durée, sans réalité, voudrait se dissiper devant l'affirmation créatrice : ce n'est jamais elle qui parle, lorsqu'elle parle » (p. 111).

Mais, bien qu'il endosse le même idéal (« immanent » et « romantique ») que l'historien ou le « scientifique », Blanchot ne voit pas la critique comme radicalement distincte de la littérature – bien au contraire. Il ne se contente pas, comme Sartre, d'écrire des livres de critique aussi beaux que des romans; de cette continuité, il fait aussi la théorie. Si le point de départ est le même que chez les autres « immanentistes », alors que le résultat est tout différent, c'est que l'idée qu'il se fait de la littérature est, elle aussi, radicalement autre. Pour ceux-ci, il n'y a aucun problème : Rousseau « veut dire » quelque chose, et c'est cela qu'il s'agit de mettre en évidence; ou en tous les cas *la Nouvelle Héloïse* a une structure qu'il est loisible de décrire. Or, pour Blanchot, on l'a vu, l'œuvre n'est

70

que recherche de l'œuvre. Elle n'est pas quelque chose qui
révélerait une plénitude de sens, pour peu que le critique
s'efface; mais elle est elle-même effacement, « mouvement de
disparition » (p. 12). Les affirmations de l'œuvre sont une
illusion, sa vérité, c'est l'absence de tout souci de vérité,
remplacé par une quête de sa propre origine. Littérature et
critique se rejoignent dans ce mouvement : comme l'œuvre, « la
critique est liée à la recherche de la possibilité de l'expérience
littéraire » et, donc, « à force de disparaître devant l'œuvre, elle
se ressaisit en elle, et comme l'un de ses moments essentiels »
(p. 13-14).

Si l'on ne partage pas la conception de Blanchot de la
littérature, on ne peut écrire, comme lui, « la critique – la
littérature – me semble... » (p. 15). Mais, même si l'on ne le fait
pas, on peut maintenir sa description de l'acte critique comme
étant entièrement immanent à l'œuvre analysée, et fonder
là-dessus une autre exigence adressée à la critique littéraire, qui
est : renoncer à toute transcendance, et donc à toute référence
aux valeurs (exigence que Blanchot a de nouveau en commun
avec le projet de l'historicisme et celui du structuralisme). Chez
Blanchot, toutefois, les deux sont solidaires : c'est parce que le
roman ou le poème « cherche à s'affirmer à l'écart de toute
valeur » « qu'il échappe à tout système de valeurs » (p. 14), et
parce que la critique doit être comme la littérature qu'il lui
assigne ce programme : elle doit être « associée à l'une des
tâches les plus difficiles, mais les plus importantes de notre
temps [...] : la tâche de préserver et de libérer la pensée de la
notion de valeur » (p. 15).

Cette phrase me laisse rêveur (à supposer, bien entendu, que
les phrases de Blanchot disent quelque chose plutôt que rien;
mais je ne vois pas pourquoi on en douterait, en l'occurrence).
Que « les » valeurs soient ébranlées de nos jours, c'est un fait.
On peut considérer cet état des choses comme irréversible, et se
résigner dans l'impuissance; ou tenter d'aller à contre-courant
et chercher des valeurs nouvelles auxquelles il serait possible de
croire. La destruction des valeurs n'a rien de difficile : elle se
fait tous les jours sous nos yeux. Mais concevoir les valeurs
comme un tyran dont on doit libérer la pensée, et faire de cette
libération la tâche la plus importante de la critique et de la
littérature, voilà qui révèle un idéal bien singulier.

71

L'écriture même de Blanchot confirme à tout instant ce souci de libérer la « pensée » de toute référence aux valeurs et à la vérité; de toute pensée, pourrait-on dire. On a souvent dit de lui : son « je parle » est une façon de rejeter tout « je pense ». La figure de style favorite de Blanchot est l'oxymore, l'affirmation simultanée de ceci et du contraire. « La littérature peut se faire en se maintenant perpétuellement en défaut », elle est « la profondeur et aussi l'absence de profondeur », écrit-il ici (p. 13, 14), et ailleurs *(le Livre à venir)* : « plénitude vide » (p. 16), « toujours encore à venir, toujours déjà passé » (p. 17), « le vide comme plénitude » (p. 30), « un espace sans lieu » (p. 100), « un immense visage qu'on voit et qu'on ne voit pas » (p. 105), « l'accomplissement inaccompli » (p. 176), « cependant le même n'est pas pareil au même » (p. 271), et ainsi de suite sans fin (on a vu que c'est de cette manière qu'il était le plus facile de « faire du Blanchot »). Mais affirmer simultanément A et non-A, c'est mettre en question la dimension assertive du langage et, effectivement, tenir un discours au-delà du vrai et du faux, du bien et du mal.

Car il est clair que les « valeurs » attaquées par Blanchot ne sont pas les seules valeurs esthétiques; il ne demande pas simplement à la critique de renoncer à établir des palmarès; sinon ce ne serait pas là une des tâches « les plus importantes de notre temps ». Ce nihilisme révèle encore un peu plus clairement son appartenance idéologique lorsque Blanchot propose de mettre à la place de la référence à la vérité et aux valeurs « une tout autre sorte [...] d'affirmation » (p. 15). Il n'y a rien de particulièrement inédit dans cette exigence : elle relève de la tradition nietzschéenne et, au-delà, sadienne, qui valorise la force au détriment du droit (Sade et Nietzsche, deux auteurs favoris de Blanchot).

On peut tout dire de la littérature, cela ne choque jamais personne : les poètes sont des feux follets auxquels tout est permis. Mais ces phrases de Blanchot débordent le cadre littéraire, et c'est sans doute la raison pour laquelle j'en suis scandalisé. A notre époque, après la Seconde Guerre mondiale, après les révélations sur le nazisme et le goulag, on découvre avec effroi jusqu'où peut aller l'humanité lorsqu'elle renonce aux valeurs universelles et qu'elle met à leur place l'affirmation de la force. C'est à ce moment de l'histoire que Blanchot déclare que non seulement il ne faut pas regretter la destruction des valeurs, mais encore qu'il faut enrôler la littérature et la critique à cette noble tâche : les piétiner encore un peu plus.

On me dira que j'introduis injustement des considérations politiques là où il n'est question que de choses inoffensives, telle la littérature. Mais le passage s'opère déjà dans le texte de Blanchot. On sait que, avant la guerre, Blanchot s'était fait le porte-parole d'un certain antisémitisme. Il y a renoncé par la suite, et ce n'est pas ce que je lui reprocherai ici. Mais c'est après la guerre qu'il nous propose de nous engager dans le combat contre les valeurs. La révélation des horreurs nazies n'a pas ébranlé cette conviction-là, même si, par ailleurs, Blanchot parle avec force et noblesse des camps d'extermination : ses réactions affectives et ponctuelles restent sans incidence sur ses principes. D'autres textes de Blanchot le montrent singulièrement tolérant à l'égard du totalitarisme soviétique : conscient de la continuité entre la « mort de la philosophie » qui lui est chère et la révolution d'Octobre, il préfère accepter celle-ci plutôt que de renoncer à celle-là.

> La révolution d'Octobre n'est pas seulement l'épiphanie du logos philosophique, son apothéose ou son apocalypse. Elle est sa réalisation qui le détruit [...]. Depuis un siècle et demi, sous son nom comme sous celui de Hegel, de Nietzsche, de Heidegger, c'est la philosophie elle-même qui affirme ou réalise sa propre fin [1] (*l'Amitié,* 1971, p. 102-103).

Et c'est toujours dans un esprit de renoncement aux valeurs universelles qu'il reproche à Jaspers de mettre sur le même plan danger nucléaire et danger totalitaire.

> Là où le philosophe libéral parle, sans examen ni critique, de totalitarisme, et avec lui une bonne part des hommes, d'autres, et avec eux une grande part des hommes, parlent de libération et d'accomplissement de la communauté humaine dans son ensemble (p. 121-122).

1. Une fois n'est pas coutume, je me permets de renvoyer, sur cette question de la « mort de la philosophie » et sur quelques autres qui s'y rattachent, à un article récent : L. Ferry et A. Renaut, « Philosopher après la fin de la philosophie? », *le Débat,* 28, 1984, p. 137-154.

Ayant répudié les « vieilles valeurs » (p. 122), Blanchot renvoie dos à dos défenseurs et adversaires du totalitarisme; en l'absence de toute mesure universelle, cela devient une pure affaire de point de vue : les uns parlent ainsi, les autres autrement (passons sur le fait que pour Blanchot les habitants du monde soviétique pensent tous selon l'idéologie officielle, alors que Jaspers n'aurait porté ses condamnations que parce qu'il n'a pas conduit un examen vraiment critique!).

Telle est donc la face politique de la théorie littéraire de Blanchot; si l'on accepte celle-ci, il faut aussi assumer celle-là. L'idéologie relativiste et nihiliste trouve chez lui une sorte d'aboutissement et ses textes, loin de ne rien dire, disent ouvertement ce qui pouvait rester sous-entendu ailleurs; ils ne sont pas obscurs, ils sont obscurantistes. Blanchot est bien un critique-écrivain, mais d'une espèce qui, pour moi, appartient déjà au passé.

III

Un rapport affectif me liait à Roland Barthes du temps où il vivait, qui n'a pas cessé depuis qu'il est mort. Je ne peux même pas me donner l'illusion de l'impartialité si je dois parler de lui. Non seulement je serais irrésistiblement tenté de supprimer en lui tout ce qui ne me convient pas et de valoriser ce en quoi il m'est proche, mais je ne peux trouver en moi les forces nécessaires pour le voir comme une totalité close dont il est possible de faire le tour, un objet, comme Genet l'était devenu pour Sartre. Ce n'est donc pas de Roland Barthes qu'il s'agit dans les pages qui suivent, mais de « mon Barthes ».

Cette partialité ne m'empêche pas, je crois, de voir tout ce qui, dans ses écrits, relève du syndrome « romantique » et donc ne fournit pas de matière à la présente enquête. Je le rappelle en quelques mots seulement, pour mémoire. Sa définition de la littérature retient surtout deux des caractéristiques que lui attribuaient les romantiques, intransitivité et pluralité des sens. L'intransitivité lui vient peut-être de Sartre; mais elle est étendue à toute la littérature, et non plus à la seule poésie : « L'acte littéraire [...] est un acte absolument intransitif », « pour l'écrivain, *écrire* est un verbe intransitif » (*Essais criti-*

ques, 1964, p. 140, 149); c'est elle qui fonde l'opposition écrivains/écrivants (poésie/prose chez Sartre, et déjà poésie/écrivance chez Döblin). L'ambiguïté, la pluralité des sens, l'infini des interprétations est un lieu commun moderne, dont il est difficile de suivre le parcours exact; ce trait de la littérature fonde chez Barthes les oppositions entre lisible et scriptible, entre œuvre et texte (c'est toujours le deuxième terme qui est valorisé).

> Le Texte est pluriel. Cela ne veut pas dire seulement qu'il a plusieurs sens, mais qu'il accomplit le pluriel même du sens : un pluriel *irréductible* (« De l'œuvre au texte », *Revue d'esthétique,* 3, 1971, p. 227-228; repris dans *le Bruissement de la langue*).

Sa conception de la critique, telle qu'on la trouve par exemple dans un bref texte intitulé « Qu'est-ce que la critique? » (recueilli dans *Essais critiques*), est également purement « romantique ». Spinoza voulait qu'on renonce à la question de la vérité pour ne se préoccuper que du sens. Barthes fait un pas de plus dans la même direction : la tâche de la critique, c'est « non de déchiffrer le sens de l'œuvre étudiée, mais de reconstituer les règles et contraintes d'élaboration de ce sens » (p. 256), « le critique n'a pas à reconstituer le message de l'œuvre mais seulement son système » (p. 257), la « tâche critique » est « purement formelle » (p. 255-256) : étrange vœu de pauvreté. Quant à la vérité, elle est refusée dans toutes les acceptions du terme. D'une part, se fondant sur une assimilation fallacieuse entre critique et logique (fallacieuse car l'une a un objet empirique, l'autre pas), Barthes affirme que la critique doit se contenter de la seule « validité », de la cohérence interne sans référence au sens. Le modèle explicite de la critique, pour Barthes, est le langage; mais si le langage, pris comme un tout, n'est ni vrai ni faux, chaque énoncé peut l'être; et de même pour la critique; le modèle innommé est en fait le jeu, non le langage : un système de règles dépourvu de sens. D'autre part, imaginant que la seule vérité à laquelle la littérature elle-même aurait affaire est une vérité d'adéquation (Charlus, c'est le comte de Montesquiou), il la refuse, et pense que la critique n'a pas à s'en occuper; certes; mais la littérature n'a jamais aspiré à ce type de vérité, et le roman de Proust est « vrai » en un tout autre sens du mot (que n'ignorait pas Spinoza quand il s'interrogeait sur la vérité de la Bible). La coexistence actuelle de plusieurs idéologies, de plusieurs points de vue, semble à Barthes une raison suffisante pour que la critique renonce à tout jamais à « parler juste au nom de principes vrais » (p. 254). Barthes combine donc un historicisme radical (pas de vérité générale, seulement des idéologies ponctuelles) avec un désintéressement pour l'histoire : il sait que, chez lui, le dialogue critique « est égoïstement tout entier déporté vers le présent » (p. 257).

Enfin, sur le plan des principes plus généraux, dont Barthes se préoccupe rarement, on ne sera pas surpris de trouver, à côté du relativisme, une revendication explicite, quoique contestable sur le plan historique, de l'individualisme :

> Depuis deux cents ans, nous sommes habitués par la culture philosophique et politique à valoriser énormément, disons, le collectivisme en général. Toutes les philosophies sont des philosophies de la collectivité, de la société, et l'individualisme est très mal vu. [...] Peut-être faut-il [...] ne pas se laisser intimider par cette morale, diffuse dans notre société, qui est celle du surmoi collectif, avec ses valeurs de responsabilité et d'engagement politique. Il faut peut-être accepter le scandale de positions individualistes (*le Grain de la voix,* recueil d'entretiens, 1981, p. 289).

Mais l'individualisme ne scandalise plus personne depuis longtemps, c'est même notre « idéologie dominante »! Pas plus que ne scandalisent Sade et Nietzsche, auteurs chéris par Barthes comme ils l'étaient par Blanchot.

Tout cet ensemble d'idées est bien présent dans les écrits de Barthes, soit. Mais ce n'est pas la seule sympathie que je porte à la personne qui me fait penser qu'il ne faut pas leur accorder une importance démesurée. C'est aussi le statut qu'ont les idées dans le discours de Barthes. Si à l'intérieur de chaque texte on pouvait prendre ces phrases pour l'expression de sa pensée, l'ensemble des textes révèle qu'il n'en est rien, puisqu'on s'aperçoit que Barthes change constamment de position, qu'il lui suffit de formuler une idée pour s'en désintéresser; et que ce changement constant ne s'explique pas par quelque légèreté, mais par une attitude différente à l'égard des idées. Tel un écrivain public, Barthes se soucie de trouver, pour chaque idée, la meilleure formulation, mais cela ne le conduit pas à l'assumer. Il s'est du reste fidèlement décrit dans son *Roland Barthes* (1975) : son écriture est un « vol de langage » (p. 96, p. 142); « par rapport aux systèmes qui l'entourent, qu'est-il? Plutôt une chambre d'échos : il reproduit mal les pensées, il suit les mots » (p. 78). Et il ajoute cette phrase qui figure aussi sur la couverture de son livre : « Tout ceci doit être considéré comme dit par un personnage de roman – ou plutôt par plusieurs » (p. 123).

Le mot de « roman » n'est pas là par hasard. C'est en effet au statut de la fiction que font penser ces idées non assumées : l'auteur fait parler ses personnages sans s'identifier à ce qu'ils disent. La différence d'avec le roman est double : c'est que, au moment de l'énonciation des phrases, ces personnages étaient invisibles (il a fallu attendre 1975, et *Roland Barthes,* pour savoir, de la part de Barthes lui-même, qu'il n'y croyait pas; rien, dans « Qu'est-ce que la critique? », n'indique qu'il n'adhère pas à ce qu'il affirme, que ce n'est là que « vol de langage »); et que, plutôt que de tenir des propos quotidiens, ils énoncent des discours théoriques, une parole de maîtrise, pour laquelle la dimension de vérité est ce qui importe le plus. Barthes peut donc dire de lui-même : « Pour ma part, je ne me considère pas comme un critique, mais plutôt comme un romancier, scripteur non du roman, il est vrai, mais du " romanesque " » (« Réponses », *Tel Quel,* 47, 1971, p. 102); et il précise dans *Roland Barthes* : « L'essai s'avoue *presque* un roman : un roman sans noms propres » (p. 124). En tant qu'énoncés, l'essai et le roman divergent : l'un se réfère au monde des individus, l'autre pas; mais ils se ressemblent dans le mode de leur énonciation : ici et là un discours non assumé, une fiction.

Barthes rejoint donc les autres critiques-écrivains, et cela non seulement par les qualités de son style, mais parce qu'il met entre parenthèses la dimension de vérité de la critique, et qu'il insiste au contraire sur son côté fictionnel ou poétique (où le langage cesse d'être un instrument pour devenir problème). C'est là même, à ses yeux, le trait caractéristique de la critique d'aujourd'hui :

Si la critique nouvelle a quelque réalité, elle est là : [...] dans la solitude de l'acte critique, affirmé désormais, loin des alibis de la science ou des institutions, comme un acte de pleine écriture (*Critique et Vérité,* 1966, p. 46-47).

Et il est certain que les livres produits par Barthes sont, dans leur forme même, des défis adressés à la tradition du genre : qui aurait pu prévoir *S/Z, Roland Barthes, Fragments d'un discours amoureux*? Scandale pour les uns, enchantement pour les autres, les textes de Barthes étaient ceux d'un écrivain que les vicissitudes du destin auraient conduit à faire carrière dans le monde des idées et de la connaissance.

S'il avait vraiment écrit des romans, toute l'originalité du geste serait évidemment disparue. Vers la fin de sa vie, Barthes projetait d'écrire un « vrai » roman, avec descriptions et noms propres. Mais il n'est pas certain que le projet pût jamais se réaliser : Barthes a expliqué qu'il éprouvait une « envie tenace de peindre ceux que j'aime » (*Prétexte : Roland Barthes,* Colloque de Cerisy, 1978, p. 368), et qu'il comptait pour cela sur l'écriture romanesque; mais le tout dernier texte qu'il a achevé porte ce titre mélancolique : « On échoue toujours à parler de ce qu'on aime » (*le Bruissement de la langue*). Quoi qu'il en soit, s'il avait écrit des romans, Barthes n'aurait été qu'un romancier parmi d'autres, tout comme, lorsqu'il raconte vraiment sa vie, dans *la Chambre claire* (1980), il devient un autodiographe ou un mémorialiste parmi d'autres (même s'il est l'un des meilleurs) : il n'y a plus d'invention formelle. L'originalité de Barthes tient à un *presque,* elle est tout entière dans la transition entre les deux.

Je ne partage pas l'attitude de Barthes à l'égard de la vérité : la littérature, déjà, a un rapport à la vérité, et la critique en a plus d'un. Pourtant, j'adhère à l'idée que le résultat de l'activité critique est un *livre,* et que ce fait est essentiel. C'est que le travail d'interprétation, bien qu'il relève de la connaissance, ne se réduit pas, comme le font l'observation ou la formulation de lois générales, au pur énoncé d'un état de fait. L'interprétation est la (re)construction d'une totalité singulière; qu'il s'agisse d'un livre d'histoire, ou d'ethnologie, ou de critique littéraire (sans parler de tous les genres mixtes), cette construction fait partie de l'affirmation même qu'on porte sur l'objet analysé.

Les lecteurs ne se trompent pas qui, dans le champ des « sciences humaines », oublient les idées mais retiennent les livres (même s'il y a quelque injustice en cela).

La mise en branle du discours de maîtrise opérée par Barthes a eu un effet rafraîchissant dans l'atmosphère d'arrogance et de surenchère qui caractérise la communauté intellectuelle. Mais, passé cet effet prophylactique et, somme toute, négatif, on peut s'interroger : que signifie le renoncement au discours qui a la vérité comme horizon ? Est-ce autre chose qu'une adhésion au relativisme généralisé ? Barthes lui-même a surtout voulu y voir un reflet de la dispersion interne de la personne ; c'est une variante moderne de l'adage de Montaigne : « L'homme, en tout et par tout, n'est que rapiessement et bigarrure. » On a vu Brecht valoriser la présence de deux voix en un seul sujet, quelle que soit la nature de ces voix ; Barthes, qui a toujours beaucoup admiré Brecht, ne manque pas de s'y référer quand il cherche à expliquer cette pluralité de sa propre personne :

> Combien je serais heureux si je pouvais m'appliquer ce mot de Brecht : « Il pensait dans d'autres têtes ; et dans la sienne d'autres que lui pensaient. C'est cela la vraie pensée » (*le Grain de la voix,* p. 185).

Reconnaître les autres comme soi, les autres en soi, est certainement un bon départ pour la pensée ; mais est-ce son tout ? L'autre est-il suffisamment défini par ce critère éminemment relatif, qu'il est autre ? Ne puis-je aussi distinguer entre les autres que j'approuve et ceux que je désapprouve ? Si je repense à ce que j'aimais en Barthes, je ne le retrouve pas dans cette description : qu'on entendait, à travers sa voix, des voix autres. Je serais tenté de dire presque le contraire : ce qu'il y avait de mieux dans l'ensemble Barthes (vie et œuvres), c'était Barthes lui-même. Je m'aperçois qu'il avait eu une pensée parallèle :

> Parvenu à ce moment de ma vie, au terme d'un colloque dont j'ai été le prétexte, je dirai que j'ai l'impression, la sensation et presque la certitude d'avoir réussi plus mes amis que mon œuvre (*Prétexte,* p. 439).

Mais, me dira-t-on, cela n'a plus rien à voir avec la critique littéraire. Si, car Barthes écrivait sur la littérature, constamment; je dirai donc que les textes qui me sont le plus précieux, aujourd'hui, sont ceux où il est le mieux présent, sans qu'on soit encore passé dans le genre personnel : c'est le *Roland Barthes*, livre à la fois intime et public, subjectif et objectif (de critique), livre d'une transition, une fois de plus.

Puisqu'il faut distinguer le privé et le public, j'ajouterai ceci : jusqu'à la publication du *Roland Barthes*, en 1975, je vois Barthes adhérer pleinement, dans ses écrits, à l'idée de la dispersion du sujet, de l'inauthenticité de l'être. D'avoir eu à constituer, de ce sujet dispersé, l'objet d'un livre, l'avait conduit à changer, même si le changement n'avait rien de spectaculaire : « Je m'assume davantage comme sujet », disait-il (*le Grain de la voix*, p. 313). Dans l'un de ses cours, Barthes disait aussi : il faut choisir entre être terroriste et être égoïste; c'est ce choix qui explique la différence entre avant et après 1975. Ce que jusque-là Barthes avait été dans sa vie et pour ses amis (un non-terroriste), il l'était devenu aussi dans ses livres; et il pouvait écrire :

Ludisme du conflit, de la joute : je déteste. Les Français semblent aimer cela : rugby, « face à face », tables rondes, paris, toujours stupides, etc. (*Prétexte,* p. 299).

Mais cet égoïsme-ci n'a plus rien à voir avec celui que manifestait plus ou moins volontairement sa critique antérieure : au lieu d'offrir dans ses livres un pur discours (lequel reste toujours une injonction), il proposait maintenant un être, le sien. Plutôt que de suggérer comment est l'homme, il laissait, avec un succès il est vrai variable, à chacun la liberté de choisir sa place par rapport au discours offert. Le risque est beaucoup plus grand (et, corrélativement, la récompense) quand on dit : « je suis ainsi », que quand on affirme : « les autres pensent en moi ».

Du coup, les autres – ceux qui existent matériellement, en dehors de la conscience de Barthes – trouvent peut-être mieux leur compte que lorsqu'ils étaient tenus à accepter une complicité qui leur était imposée. C'est ce qu'il exprime lui-même lorsqu'il cherche à comprendre sa souffrance devant la mort de sa mère : « Ce que j'ai perdu, ce n'est pas une Figure (la Mère), mais un être » (*la Chambre claire,* p. 118). Un être n'est pas l'Autre, ni les autres; il n'est que lui-même. Lui reconnaître son altérité (et non plus que je est un autre, ou que les autres sont en moi), c'est le reconnaître tout court, c'est renoncer un peu plus à l'illusion égocentrique. Tant que je me prends pour une pure chambre d'échos, l'autre n'existe que pour moi, indifférencié; si « je m'assume comme sujet », je permets à l'autre d'en faire autant, donc je le respecte. C'est ce que je trouve aussi dans ces quelques phrases où Barthes décrit son évolution :

> Peu à peu, en moi, s'affirme un désir croissant de lisibilité. J'ai envie que les textes que je reçois me soient « lisibles », j'ai envie que les textes que j'écris soient eux-mêmes « lisibles ». [...] Une idée saugrenue me vient (saugrenue à force d'humanisme) : « On ne dira jamais assez quel amour (pour l'autre, pour le lecteur) il y a dans le travail de la phrase » (*Prétexte,* p. 301).

Cet humanisme saugrenu est quelque chose de nouveau dans l'écriture de Barthes (alors qu'il avait toujours été présent dans sa conversation), et m'est particulièrement précieux. Je vois s'y chercher, par-delà les clichés nihilistes que Barthes partageait avec son époque, une transcendance nouvelle, fondée non sur le divin, mais sur la socialité de l'homme et la pluralité des hommes. Et je suis ému de voir que portent là-dessus les dernières phrases du dernier entretien qu'il a accordé, quelques jours avant sa mort accidentelle, même si ce sont des phrases plutôt maladroites : « Mais, malgré tout, quand on écrit, on dispense des germes, on peut estimer qu'on dispense une sorte de semence et que, par conséquent, on est remis dans la circulation générale des semences » (*le Grain de la voix,* p. 339).

L'humain et l'interhumain
(Mikhaïl Bakhtine)

Mikhaïl Bakhtine est l'une des figures les plus fascinantes et les plus énigmatiques dans la culture européenne du milieu du XXe siècle. La fascination se comprend aisément : œuvre riche et originale, à laquelle rien ne peut être comparé dans la production soviétique en matière de sciences humaines. Mais à cette admiration s'ajoute un élément de perplexité, car on est inévitablement conduit à se poser la question : qui est Bakhtine et quels sont les traits distinctifs de sa pensée ? En effet, celle-ci a des facettes si multiples qu'on se met parfois à douter qu'il y ait toujours eu à son origine une seule et même personne.

L'œuvre de Bakhtine a attiré l'attention du public en 1963, année où était réédité, sous une forme sensiblement modifiée, son ouvrage sur Dostoïevski, paru originellement en 1929 (et qui avait déjà été remarqué à l'époque). Mais ce livre passionnant, *Problèmes de la poétique de Dostoïevski,* n'était déjà pas sans poser de problèmes si on s'interrogeait sur son unité. Il se compose, en gros, de trois parties assez autonomes : le premier tiers est constitué de l'exposition et l'illustration d'une thèse sur l'univers romanesque de Dostoïevski, exprimée en termes philosophiques et littéraires ; le deuxième, d'une exploration de quelques genres littéraires mineurs, les dialogues socratiques, la ménippée antique et les productions carnavalesques médiévales, qui constituent selon Bakhtine la tradition générique dont serait issu Dostoïevski ; enfin, le troisième tiers comporte un programme d'études stylistiques, illustré par des analyses des romans de Dostoïevski.

Puis, en 1965, est paru un livre sur Rabelais (trad. fr., 1970), qui pouvait passer pour l'expansion de la deuxième partie du livre sur Dostoïevski (ou inversement – et c'est la vérité –, celle-ci pouvait dès lors apparaître comme un condensé du livre sur Rabelais), mais qui avait peu de rapports avec les deux autres parties : analyse thématique, d'une part, et non plus stylistique; ouvrage historique et descriptif, d'autre part, qui ne laissait pas de place pour les intuitions philosophiques du *Dostoïevski*. C'est cet ouvrage qui attira l'attention des spécialistes vers des phénomènes comme la culture populaire ou le carnaval.

En 1973, coup de théâtre : plusieurs sources autorisées (soviétiques) révèlent que Bakhtine est l'auteur, ou en tous les cas le co-auteur principal, de trois livres et de plusieurs articles publiés sous d'autres noms en URSS à la fin des années vingt (deux de ces livres existent en français, *Marxisme et Philosophie du langage,* 1977, et *le Freudisme,* 1980; les articles ont été traduits en annexe à mon livre *Mikhaïl Bakhtine le principe dialogique,* 1981). Mais cet enrichissement de la bibliographie bakhtinienne ne pouvait qu'accroître la perplexité des lecteurs qui avaient déjà du mal à comprendre la relation entre son *Dostoïevski* et son *Rabelais*; les textes des années vingt faisant entendre un ton de voix encore différent : celui d'une critique violente (d'inspiration sociologique et marxiste) de la psychanalyse, de la linguistique (structurale ou non) et de la poétique telle que la pratiquaient les Formalistes russes.

En 1975, année de sa mort, Bakhtine publie un nouveau volume, *Questions de littérature et d'esthétique,* composé d'études qui datent pour la plupart des années trente. Ces études prolongent en fait les recherches stylistiques du *Dostoïevski* et préparent l'étude thématique dans le *Rabelais* (ce dernier avait en réalité été achevé en 1940); elles permettent donc de commencer à s'orienter dans l'œuvre de Bakhtine, en mettant en évidence le passage de l'une à l'autre des monographies.

Enfin, dernier rebondissement (pour l'instant) : en 1979, un nouveau volume d'inédits voit le jour, préparé par ses éditeurs et intitulé *Esthétique de la création verbale.* Il comporte, pour l'essentiel, les *premiers* et les *derniers* écrits de Bakhtine : un grand ouvrage antérieur à la période sociologique; et des notes et fragments rédigés pendant les vingt dernières années de sa vie. Beaucoup de choses s'expliquent à la suite de la publication de ce nouveau recueil, mais d'autres, au contraire, s'obscurcissent, puisque aux différents Bakhtine qu'on connaissait déjà s'en ajoute encore un, phénoménologue et peut-être « existentialiste »...

La pensée de Bakhtine pose un problème, cela est certain. Il ne s'agit pas de lui imposer artificiellement une unité qui ne s'y trouverait pas; mais de la rendre intelligible, ce qui est tout différent. Pour avancer quelque peu dans cette voie, on se tournera vers l'histoire, et on cherchera à répondre à cette question : comment situer Bakhtine par rapport à l'évolution des idéologies en ce XXᵉ siècle?

Bakhtine se présente, au premier abord, comme un théoricien et un historien de la littérature. Or, à l'époque où il fait son entrée dans la vie intellectuelle russe, le devant de la scène, en matière de recherche littéraire, est occupé par ce groupe de critiques, de linguistes et d'écrivains, dont nous avons déjà fait connaissance, qu'on appelle les Formalistes (pour nous, les « Formalistes russes »). Les Formalistes ont des rapports incertains avec le marxisme et ils ne dominent pas les institutions; mais ils ont l'avantage du talent, et leur prestige est incontestable. Pour établir sa place dans le débat littéraire et esthétique de son temps, Bakhtine doit donc se situer par rapport aux Formalistes. Il le fera à deux reprises : d'abord dans un long article de 1924 (publié pour la première fois dans *Voprosy* en 1975); ensuite à travers le livre *la Méthode formelle en études littéraires* (1928), dont l'auteur officiel est P. Medvedev.

Le premier reproche que Bakhtine adresse aux Formalistes est de ne pas savoir ce qu'ils font, de ne pas réfléchir aux fondements théoriques et philosophiques de leur propre doctrine. Il ne s'agit pas d'une défaillance fortuite : les Formalistes, on l'a vu, partagent ce trait avec tous les positivistes, qui croient pratiquer la science et chercher la vérité, oubliant qu'ils s'appuient sur des présupposés arbitraires. Bakhtine va se charger de faire cette explicitation à leur place, pour permettre d'élever le débat. La doctrine formaliste, nous dit-il, est une esthétique du matériau, car elle réduit les problèmes de la création poétique à des questions de langage : d'où la réification de la notion de « langage poétique », d'où l'intérêt pour des « procédés » de toutes sortes. Ce faisant, les Formalistes négligent les autres ingrédients de l'acte de création, qui sont le contenu, ou rapport avec le monde, et la forme, entendue ici comme intervention de l'auteur, comme le choix que fait un individu singulier parmi les éléments impersonnels et généraux du langage. La véritable notion centrale de la recherche esthétique ne doit pas être le matériau, mais l'architectonique, ou la construction, ou la structure de l'œuvre, entendue comme un lieu de rencontre et d'interaction entre matériau, forme et contenu.

Bakhtine ne critique donc pas l'opposition même entre art et non-art, entre poésie et discours quotidien, mais le lieu où les Formalistes cherchent à la situer. « Les traits caractéristiques du poétique n'appartiennent pas au langage et à ses éléments, mais seulement aux constructions poétiques », écrit Medvedev (p. 119), et il ajoute : « L'objet de la poétique doit être la construction de l'œuvre littéraire » (p. 141). Mais le poétique et le littéraire ne sont pas définis autrement que chez les Formalistes : « Dans la création poétique, l'énoncé a rompu ses liens avec l'objet, tel que celui-ci existe en dehors de l'énoncé, tout comme avec l'action [...]. La réalité de l'énoncé même ne sert ici aucune autre réalité » (p. 172).

La critique de Bakhtine porte donc bien sur les Formalistes, mais non sur le cadre de l'esthétique romantique dont ils sont issus. Ce qu'il leur reproche n'est pas leur « formalisme » mais leur « matérialisme »; on pourrait même dire qu'il est plus formaliste qu'eux, si l'on redonne à « forme » son sens plein d'interaction et d'unité des différents éléments de l'œuvre; c'est cet autre sens que Bakhtine tente de retrouver, en introduisant ces synonymes valorisés que sont « architectonique » ou « construction ». Ce qu'il critique, c'est justement le versant non romantique des Formalistes : l'expression « esthétique du matériau » s'applique à merveille à un programme comme celui que développe Lessing dans le *Laocoon,* où les propriétés de la peinture et de la poésie sont déduites de leurs matériaux respectifs. Par-delà Lessing, c'est la tradition aristotélicienne qui se trouve évoquée ici, avec sa description de « procédés » désincarnés comme les figures et les tropes, la péripétie et la reconnaissance, les parties et les éléments de la tragédie.

Le paradoxe des Formalistes, et leur originalité, on l'a dit, avait été de pratiquer des descriptions « classiques » (aristotéliciennes) à partir de prémisses idéologiques romantiques; Bakhtine rétablit la doctrine romantique dans sa pureté. Lorsque Goethe se penchait sur le même groupe sculptural du Laocoon, il mettait déjà en place les notions d'œuvre, d'unité, de cohérence, au lieu des lois générales de la peinture et de la poésie chères à Lessing. On reste dans l'esprit de Schelling et de ses amis lorsqu'on voit l'œuvre d'art comme la fusion du subjectif et de l'objectif, du singulier et de l'universel, de la volonté et de la contrainte, de la forme et du contenu. L'esthétique romantique valorise l'immanence, non la transcendance; elle accorde donc peu d'intérêt à des éléments transtextuels comme la métaphore, ou les rimes dactyliques, ou les procédés de reconnaissance. Bakhtine a raison de reprocher aux Formalistes d'ignorer leur propre philosophie; mais sa philosophie à lui a une couleur bien précise : c'est celle des romantiques. Ce qui n'est pas en soi une tare, mais qui limite l'originalité de sa position.

Ne nous dépêchons pas de conclure, cependant. Il s'agit là de deux textes des années vingt et, même si Bakhtine ne coupe jamais ses liens avec l'esthétique romantique (notamment dans sa théorie du roman), sa pensée ne s'y limite pas, loin de là. Du reste, cette problématique même des principes esthétiques généraux apparaît comme plutôt marginale dans son œuvre, ou en tous les cas comme une transition. Il est un autre thème qui, nous le découvrons aujourd'hui, était au centre de son attention dès le début des années vingt, et auquel il ne cesse de revenir jusqu'à la fin de sa vie; un thème à la fois plus particulier, car ne concernant qu'une seule question esthétique, et plus général, puisque débordant, et de loin, l'esthétique comme tel : c'est celui du rapport entre le créateur et les êtres créés par celui-ci, ou, comme dit Bakhtine, entre auteur et héros. Observer ce rapport sera d'autant plus instructif qu'on y découvrira – et la chose est rare dans sa longue carrière intellectuelle – un renversement spectaculaire dans les idées de Bakhtine là-dessus.

La position initiale se trouve dans son premier ouvrage, nouvellement découvert et consacré précisément à cette question. En gros, elle consiste à dire qu'une vie trouve un sens, et devient par là un ingrédient possible de la construction esthétique, seulement si elle est vue de l'extérieur, comme un tout;

elle doit être entièrement englobée dans l'horizon de quelqu'un d'autre ; et, pour le personnage, ce quelqu'un d'autre est, bien entendu, l'auteur : c'est ce que Bakhtine appelle l' « exotopie » de ce dernier. La création esthétique est donc un exemple particulièrement accompli d'un type de relation humaine : celui où l'une des deux personnes englobe entièrement l'autre, et par là même la parachève et la dote de sens. Relation asymétrique d'extériorité et de supériorité, qui est une condition indispensable à la création artistique : celle-ci exige la présence d'éléments « transgrédients », comme dit Bakhtine, c'est-à-dire extérieurs à la conscience telle qu'elle se pense de l'intérieur mais nécessaires à sa constitution comme un tout. Asymétrie à propos de laquelle Bakhtine n'hésite pas à recourir à une comparaison éloquente : « La *divinité* de l'artiste réside dans son assimilation à l'exotopie supérieure » (*Estetika...*, p. 166 ; je souligne).

Bakhtine n'ignore pas qu'il décrit là une norme, et non une réalité. Certains auteurs – tel Dostoïevski, par exemple – oublient cette loi esthétique, cette supériorité nécessaire de l'auteur sur le personnage, et donnent à celui-ci autant de poids qu'à l'auteur, ou, inversement, ébranlent la position de l'auteur jusqu'à la rendre semblable à celle d'un personnage ; d'une manière ou d'une autre, ces auteurs déviants mettent les deux sur le même plan, geste qui a des conséquences catastrophiques, car il n'y a plus, d'un côté, la vérité absolue (de l'auteur) et, de l'autre, la singularité du personnage ; il n'y a que des positions singulières, et aucune place pour l'absolu. Dans un texte de 1929 signé par Volochinov, on apprend que cette sorte de renoncement à l'absolu est une caractéristique (déplorable) de la société moderne : on n'ose plus rien dire avec conviction ; et, pour dissimuler ses incertitudes, on se réfugie dans les divers degrés de la citation : nous ne parlons plus qu'entre guillemets.

Une telle exigence de l'exotopie supérieure est parfaitement « classique » : Dieu existe bien et reste à sa place, on ne confond pas le créateur avec ses créatures, la hiérarchie des consciences est inébranlable, la transcendance de l'auteur nous permet d'évaluer avec assurance ses personnages. Mais elle ne sera pas maintenue. En cours de route, Bakhtine se laisse influencer par son contre-exemple, Dostoïevski (ou par l'image qu'il s'en fait) ;

son premier livre, publié en 1929, lui est consacré, et c'est un éloge de la voie précédemment condamnée. La conception précédente, au lieu d'être maintenue au rang d'une loi esthétique générale, devient la caractéristique d'un état d'esprit que Bakhtine stigmatise sous le nom de « monologisme »; la perversion dostoïevskienne, au contraire, s'élève en incarnation du « dialogisme », à la fois conception du monde et style d'écriture, pour lesquels, désormais, Bakhtine ne cache pas sa préférence.

Alors qu'il exigeait auparavant l'asymétrie du personnage et de l'auteur, et la supériorité de celui-ci, Bakhtine ne se lasse pas maintenant de répéter : « Dans ses œuvres [celles de Dostoïevski) apparaît un héros dont la voix est construite de la même manière qu'on construit la voix de l'auteur dans un roman de type habituel » (éd. de 1963, p. 7-8). « Ce qu'accomplissait l'auteur, c'est maintenant le héros qui l'accomplit » (p. 65). L'auteur ne possède aucun avantage sur le héros, il n'y a aucun excédent sémantique qui l'en distingue, et les deux consciences ont des droits parfaitement égaux. « Les idées de Dostoïevski-penseur, entrant dans son roman polyphonique [...], s'engagent dans un grand dialogue avec les autres images d'idées, sur *un pied d'égalité parfaite* » (p. 122). Pour parler comme Buber (Bakhtine le fait déjà), Dostoïevski serait le premier à assimiler les relations entre auteur et personnage aux relations du type « je-tu », et non plus « je-cela ».

La référence à l'absolu, et donc à la vérité, qui soutenait la conception antérieure, se trouve maintenant rejetée. Bakhtine écrit même : « La représentaion artistique de l'idée n'est possible que là où celle-ci est mise au-delà de l'affirmation ou de la négation, sans pour autant être ramenée au rang d'une simple expérience psychique » (p. 106). Le roman « monologique » ne connaît que deux cas : ou bien les idées sont prises pour leur contenu, et alors elles sont vraies ou fausses; ou bien elles sont tenues pour des indices de la psychologie des personnages. L'art « dialogique » a accès à un troisième état, au-delà du vrai et du faux, du bien et du mal, tout comme le second – sans s'y réduire pour autant : chaque idée est l'idée de quelqu'un, elle se situe par rapport à une voix qui la porte et à un horizon qu'elle vise. A la place de l'absolu, on trouve une multiplicité de points de vue : ceux des personnages et celui de l'auteur qui leur est assimilé; et ils ne connaissent pas de privilèges ni de hiérarchie. La révolution de Dostoïevski, sur le plan esthétique (et éthique), est comparable à celle de Copernic, ou encore à celle d'Einstein, sur le plan de la connaissance du monde physique (images favorites de Bakhtine) : il n'y a plus de centre, et nous vivons dans la relativité généralisée.

Bakhtine maintient son observation selon laquelle, dans notre monde contemporain, il est impossible d'assumer une vérité absolue, et qu'on doit se contenter de citer plutôt que de parler en son nom propre; mais il n'ajoute plus aucune condamnation ni regret à ce constat : l'ironie (c'est ainsi qu'il appelle maintenant ce mode d'énonciation) est notre sagesse, et qui oserait aujourd'hui proclamer des vérités? Rejeter l'ironie, c'est faire le choix délibéré de la « bêtise », se borner soi-même, rétrécir son horizon (cf. *Estetika...,* p. 352) : c'est ainsi que procède Dostoïevski dans ses écrits journalistiques. La seule autre possibilité – mais elle ne nous permet pas pour autant de retrouver l'absolu – serait de se mettre à l'écoute de l'être, comme le recommande Heidegger (p. 354).

Il est frappant de voir à quel point l'argumentation développée par Bakhtine est parallèle à celle que formulait, à peu près à la même époque, Jean-Paul Sartre. Dans un article de 1939, « M. François Mauriac et la liberté » (*Situations I,* 1947), Sartre récuse toute pratique romanesque où l'auteur occuperait une position privilégiée par rapport à ses personnages; il ne se sert pas du terme « monologique », mais il n'est pas loin d'identifier « roman » et « dialogisme » : « Le romancier n'a pas le droit d'abandonner le terrain de la bataille et de [...] juger » (p. 41), il doit se contenter de présenter ses personnages; s'il jugeait, il s'assimilerait à Dieu, or Dieu et le roman s'excluent mutuellement (c'est ce que n'aurait pas compris Mauriac) : « Un roman est écrit par un homme pour des hommes. Au regard de Dieu, qui perce les apparences sans s'y arrêter, il n'est point de roman » (p. 57). Comme Bakhtine, Sartre assimile cette révolution romanesque au nom de Dostoïevski et, comme lui, il la compare à celle d'Einstein : « Dans un vrai roman, pas plus que dans le monde d'Einstein, il n'y a de place pour un observateur privilégié » (p. 56-57). Et, comme lui, il conclut à la disparition de l'absolu : « L'introduction de la vérité absolue » dans un roman ne peut provenir que d'une « erreur technique » (p. 47), car le romancier « n'a pas le droit de porter ces jugements absolus [1] » (p. 46).

Bakhtine ne voudrait pas pour autant qu'on prenne sa position pour celle d'un relativiste; mais il ne parvient pas à bien expliquer en quoi consiste la différence. Il aime comparer le pluralisme de Dostoïevski, tel qu'il l'établit, à celui de Dante, puisque celui-ci fait entendre, dans la simultanéité idéale de l'éternité, les voix des occupants de toutes les sphères terrestres et célestes (*Dostoïevski*, p. 36 et 42); mais Bakhtine se contente de noter comme un fait secondaire le caractère « vertical », c'est-à-dire hiérarchisé, de l'univers de Dante, par opposition au monde « horizontal » de Dostoïevski, monde de la « pure coexistence » (*Voprosy...*, p. 308). Or la différence est de taille et, si elle était vraie, on voit mal en quoi Dostoïevski, et Bakhtine qui se pose en son porte-parole, échapperaient au relativisme! Si tel était le dernier mot de Bakhtine, il faudrait bien voir en lui le représentant, sinon de l'esthétique romantique dans son courant principal, à tout le moins de l'idéologie individualiste et relativiste, qui domine l'époque moderne.

Mais les choses sont un peu plus complexes. En même temps qu'il illustre cette idéologie-là, Bakhtine fait entendre une voix tout autre. Seulement ici, à la différence de ce qui se passait précédemment, entre le livre de jeunesse sur l'auteur et le héros et l'ouvrage sur Dostoïevski, le conflit n'est plus ouvert, il ne correspond pas à une succession dans le temps, et on peut douter que Bakhtine en ait été conscient. Il s'agit plutôt d'inconsistances révélatrices dans ce que Bakhtine pense être une affirmation homogène ; mais c'est de là peut-être que vient son apport le plus neuf.

Il faut, pour retrouver cet autre – troisième! – Bakhtine,

1. Il est assez plaisant de voir que, lorsque, trente ans plus tard, Sartre prend connaissance du livre de Bakhtine, il ne reconnaît pas sa propre pensée, préoccupé comme il est de réfuter le « formalisme » : « Je viens, par exemple, de lire Bakhtine sur Dostoïevski, mais je ne vois pas ce que le nouveau formalisme – la sémiotique – ajoute à l'ancien. Dans l'ensemble, ce que je reproche à ces recherches, c'est qu'elles ne mènent à rien : elles n'enserrent pas leur objet, ce sont des connaissances qui se dissipent » (M. Contat et M. Rybalka, « Un entretien avec Jean-Paul Sartre », *le Monde* du 14-5-1971). Le contresens est complet; c'est à se demander si, à cette époque déjà, Sartre n'était pas atteint de la cécité qui allait le gagner plus tard. Mais il existe aussi des cécités idéologiques qui valent bien l'autre.

repartir de l'interprétation qu'il fait de la pensée et de la position de Dostoïevski, puisque celles-ci sont déterminantes pour les idées de Bakhtine lui-même. A la suite de son célèbre discours sur Pouchkine, en 1880, Dostoïevski se trouve interpellé par un écrivain de l'époque, Kavéline, qui lui oppose son idée de la moralité : agit moralement celui qui agit en parfait accord avec ses convictions. C'est donc une autre version du credo relativiste et individualiste (chacun est son propre juge), pas très différente au fond de celle que Bakhtine croit trouver chez Dostoïevski. Or ce dernier écrit, dans son projet de réponse à Kavéline :

> Il ne suffit pas de définir la moralité par la fidélité à ses convictions. Il faut encore susciter continuellement en soi la question : mes convictions sont-elles vraies? Or le seul moyen de les vérifier, c'est le Christ [...]. Je ne puis tenir pour un homme moral celui qui brûle les hérétiques, car je ne reconnais pas votre thèse, selon laquelle la moralité est l'accord avec les convictions intimes. Cela, c'est seulement l'*honnêteté* [...], non la moralité. J'ai un modèle et un idéal moral – c'est le Christ. Je demande : aurait-il brûlé les hérétiques? Non. Alors cela signifie que brûler les hérétiques est un acte immoral [...]. Le Christ commettait des erreurs – c'est prouvé! Le même sentiment brûlant dit : j'aime mieux rester avec l'erreur, avec le Christ, plutôt qu'avec vous (*Literaturnoe nasledstvo*, t. LXXXIII, p. 674 *sq.*).

Dostoïevski exige donc bien l'existence d'une transcendance, il distingue entre honnêteté (fidélité aux convictions) et vérité. Il ajoute à cela que la vérité humaine doit être incarnée, plutôt que de rester une abstraction : c'est le sens de la figure du Christ; cette vérité humanisée, incarnée, vaut même plus que l'autre, et doit lui être préférée si les deux se contredisent (les « erreurs » du Christ) : telle est la spécificité de la vérité morale.

Bakhtine connaît et cite ce texte (*Dostoïevski*, p. 130-131). Mais le commentaire qu'il en donne est tout à fait révélateur de son interprétation de Dostoïevski. « Il préfère rester avec l'erreur mais avec le Christ », écrit-il (p. 131), ou plus tard : « L'opposition de la vérité et du Christ chez Dostoïevski » (*Estetika...,* p. 355). La partialité de cette interprétation est proche du contresens : Dostoïevski n'oppose pas la vérité et le

Christ, mais les identifie pour les opposer à la philosophie des « points de vue » ou des « convictions »; et ce n'est que secondairement qu'il oppose, dans le monde moral, vérité incarnée et vérité impersonnelle, pour préférer la première à la seconde. Mais le reconnaître aurait détruit la position de Bakhtine qui, dans un esprit très proche de Kavéline, affirme que « tous les héros principaux de Dostoïevski sont, en tant qu'hommes de l'idée, absolument désintéressés, dans la mesure où l'idée a réellement pris possession du noyau profond de leur personnalité » (*Dostoïevski,* p. 115) : n'est-ce pas fonder le jugement moral sur la fidélité aux convictions que partagent l'assassin Raskolnikov, la prostituée Sonia, Ivan le complice du parricide et l' « adolescent » rêvant de devenir Rothschild?

Dans les plans d'un roman abandonné, *la Vie d'un grand pécheur,* Dostoïevski écrit :

> Mais que *l'idée régnante* de la vie soit visible – c'est-à-dire quoique *sans expliquer par des mots toute l'idée régnante* et tout en la laissant toujours énigmatique, faire en sorte que le lecteur voie toujours que cette idée est une idée pieuse.

Bakhtine cite ce texte également (*Dostoïevski,* p. 132) en appui à son affirmation. Mais Dostoïevski n'y dit pas qu'il renonce à la distinction entre idée impie et idée pieuse; il décide seulement de ne pas la dire en toutes lettres mais de la suggérer de manière indirecte. Bakhtine note ailleurs : « La vérité non proférée chez Dostoïevski (le baiser du Christ) » (*Estetika...,* p. 353) : mais le silence du Christ devant le Grand Inquisiteur ne signifie pas renoncement à la vérité; seulement celle-ci ne passe plus par des mots. La vérité doit être incarnée, la vérité doit être indirecte : mais une chose est claire en tout cela, c'est que pour Dostoïevski la vérité existe.

Ajoutons, à ces témoignages de Dostoïevski cités par Bakhtine, cet autre, qui se trouve dans le *Journal d'un écrivain* pour 1873. Commentant la pièce d'un auteur populiste, Dostoïevski écrit :

> L'auteur s'est par trop engoué de son personnage, et pas une seule fois ne se décide de le dominer du regard. Il nous semble que ce n'est pas encore assez d'exposer d'une manière vraie tous les traits donnés du personnage; il faut l'éclairer résolument par son propre

point de vue artistique. A aucun prix le véritable artiste ne doit se maintenir en égalité avec le personnage représenté, se contentant de sa seule vérité réelle à lui : on ne parviendra pas ainsi à une vérité dans l'impression (*Polnoe sobranie sochinenij*, t. XXI, 1980, p. 97).

Mais il est vrai que ces phrases se trouvent dans un écrit journalistique et « bête » de Dostoïevski.

L'égalité du héros et de l'auteur que Bakhtine impute à Dostoïevski n'est pas seulement en contradiction avec les intentions de celui-ci; elle est, à vrai dire, impossible dans son principe même. Bakhtine le dit presque lui-même : la fonction de l'« idée régnante » dont il était question dans la phrase précitée de Dostoïevski est réduite par lui à presque rien : « Elle ne doit diriger que le choix et la disposition de la matière » (*Dostoïevski*, p. 132); mais ce presque est énorme. Chez Dostoïevski, dit un autre texte, « l'auteur n'est qu'un participant du dialogue (et son organisateur) » (*Estetika...*, p. 322) : mais la parenthèse abolit toute la radicalité du propos qui la précède. Si on est l'organisateur du dialogue, on *n'est* pas qu'un simple participant.

Bakhtine semble confondre deux choses. L'une est que les idées de l'auteur soient présentées par lui, à l'intérieur d'un roman, comme aussi discutables que celles d'autres penseurs. L'autre, c'est que l'auteur soit sur le même plan que ses personnages. Or rien n'autorise cette confusion, puisque c'est encore l'auteur qui présente et ses propres idées et celles des autres personnages. L'affirmation de Bakhtine ne pourrait être juste que si Dostoïevski se confondait, disons, avec Aliocha Karamazov; on pourrait dire à ce moment que la voix d'Aliocha est sur le même plan que celle d'Ivan. Mais c'est Dostoïevski tout seul qui écrit *les Frères Karamazov*, et qui représente Aliocha aussi bien qu'Ivan. Dostoïevski n'est pas une voix parmi d'autres au sein de ses romans, il est le créateur unique, privilégié et radicalement différent de tous ses personnages, puisque chacun d'entre eux n'est, justement, qu'une voix, alors que Dostoïevski est le créateur de cette pluralité même.

Cette confusion est d'autant plus surprenante que, dans ses derniers écrits, Bakhtine lui-même la combat à plusieurs reprises, notamment à propos de la notion, jugée par lui fallacieuse, de l'« image de l'auteur » (cf. *Voprosy...*, p. 405, et *Estetika...*, p. 288 et 353). Il y a toujours, dit Bakhtine, une différence radicale entre, d'un côté, l'auteur et, de l'autre, ses personnages, y compris ce personnage particulier qu'est l'« image de l'auteur » (ou l'« auteur implicite ») :

> L'auteur ne peut jamais devenir une des parties constitutives de son œuvre, devenir une image, faire partie de l'objet. Il n'est ni une *natura creata*, ni une *natura naturata et creans*, mais une pure *natura creans et non creata* (*Estetika...*, p. 288).

Il est frappant de voir que la définition scolastique par laquelle Bakhtine identifie l'auteur s'applique, dans son contexte d'origine (par exemple, chez Jean Scot Erigène), à Dieu, et à lui seulement.

Bakhtine a donc bien perçu une particularité de l'œuvre de Dostoïevski, mais il s'est trompé dans la façon de la désigner. Dostoïevski est exceptionnel en ce qu'il représente simultanément et sur le même plan plusieurs consciences, les unes aussi convaincantes que les autres; mais il n'en a pas moins, en tant que romancier, une foi dans *la* vérité comme horizon ultime. L'absolu peut ne pas s'incarner dans un personnage (les hommes ne sont pas le Christ) et néanmoins servir d'idée régulatrice à leur quête commune à tous. C'est ce que Bakhtine semble reconnaître, de façon bien détournée, lorsqu'il admet que la pluralité des consciences et la pluralité des vérités ne sont pas forcément solidaires :

> Il est à noter que du concept même de vérité unique ne découle pas du tout la nécessité d'une seule et unique conscience. On peut parfaitement admettre et penser qu'une vérité unique exige une multiplicité des consciences (*Dostoïevski*, p. 107).

Mais alors ne peut-on aussi admettre que la pluralité des consciences n'exige pas le renoncement à la vérité unique?

Bakhtine cite et commente longuement une phrase de Dostoïevski, où celui-ci se définit non comme « psychologue » mais comme « réaliste au sens supérieur ». Cela veut dire que Dostoïevski ne se contente pas d'exprimer une vérité intérieure, mais qu'il décrit des hommes qui existent en dehors de lui, et que ces hommes ne se réduisent pas à une conscience unique (la sienne) : les hommes sont différents, ce qui implique qu'ils sont nécessairement plusieurs; la multiplicité des hommes est la vérité de l'être même de l'homme. Telle est la raison profonde qui attire Bakhtine vers Dostoïevski. Si l'on tente en effet maintenant de saisir d'un seul coup d'œil la totalité de son parcours intellectuel, on s'aperçoit que son unité se fait dans cette conviction, présente chez lui dès avant le livre sur Dostoïevski et jusqu'à ses tout derniers fragments, selon laquelle *l'interhumain est constitutif de l'humain*. Telle serait en effet l'expression la plus générale d'une pensée qui ne se réduit pas du tout à l'idéologie individualiste, et pour laquelle Bakhtine n'a pas cessé de chercher ce qui peut nous apparaître maintenant comme de différents langages destinés à affirmer une seule et même pensée. On pourrait, de ce point de vue, distinguer quatre grandes périodes (quatre langages), selon la nature du champ dans lequel il observe l'action de cette pensée : phénoménologique; sociologique; linguistique; historico-littéraire. Au cours d'une cinquième période (les dernières années), Bakhtine tente la synthèse de ces quatre langages différents.

La période phénoménologique est illustrée par le tout premier livre de Bakhtine, consacré à la relation entre auteur et héros. Il la considère comme un cas particulier de la relation entre deux êtres humains, et se tourne donc vers l'analyse de celle-ci. Mais il s'aperçoit alors qu'une telle relation ne peut être considérée comme contingente (pouvant ne pas exister); elle est indispensable, au contraire, pour que l'être humain se constitue comme un tout, car l'achèvement ne peut venir que de l'extérieur, par le regard de l'autre (c'est encore un thème familier aux lecteurs de Sartre). La démonstration de Bakhtine s'attache à deux aspects de la personne humaine. Le premier, spatial, est celui du corps : or mon corps ne devient un tout que s'il est vu du dehors, ou dans un miroir (alors que je vois, sans le moindre problème, le corps des autres comme un tout achevé). Le second est temporel, et il a trait à l'« âme » : seule ma naissance et ma mort me constituent en un tout, or, par définition, ma conscience ne peut les connaître de l'intérieur. L'autre est donc à la fois constitutif de l'être, et foncièrement asymétrique par rapport à lui : la pluralité des hommes trouve son sens non dans une multiplication quantitative des « je », mais dans ce que chacun est le complément nécessaire de l'autre.

La période sociologique et marxiste trouve son aboutissement dans les trois livres signés par les amis et collaborateurs de Bakhtine. Contre la psychologie ou la liguistique subjectives, qui font comme si l'homme était seul au monde, mais également contre les théories empiristes qui se limitent à la connaissance des produits observables de l'interaction humaine, Bakhtine et ses amis affirment le caractère primordial du social : le langage et la pensée, constitutifs de l'homme, sont nécessairement intersubjectifs.

C'est dans ces mêmes années que Bakhtine s'efforce de jeter les bases d'une nouvelle liguistique, ou, comme il dira plus tard, « translinguistique » (le terme aujourd'hui en usage serait plutôt « pragmatique »), dont l'objet n'est plus l'énoncé, mais l'énonciation, c'est-à-dire l'interaction verbale. Après avoir critiqué la linguistique structurale et la poétique formaliste, qui réduisent le langage à un code, et oublient que le discours est avant tout un pont jeté entre deux personnes, elles-mêmes socialement déterminées, Bakhtine formule des propositions positives pour cette étude de l'interaction verbale dans la dernière partie de son *Dostoïevski* et dans le long essai sur « Le discours dans le roman ». Il analyse, notamment, la manière dont les voix se mêlent à celle du sujet explicite de l'énonciation.

La période historico-littéraire commence au milieu des années trente; elle comporte deux grands livres, un sur Goethe et un sur Rabelais, dont seul le second nous est parvenu (du premier ne subsistent que quelques extraits), ainsi qu'un long essai général, où se trouve introduite la notion de chronotope. Bakhtine constate que la littérature a toujours joué sur la pluralité de voix, présente à la conscience des locuteurs, mais de deux façons différentes : ou bien le discours de l'œuvre est en lui-même homogène, mais il s'oppose en bloc aux normes linguistiques générales; ou bien la diversité de discours (l'« hétérologie ») se trouve représentée à l'intérieur même du texte. C'est cette seconde tradition qui attire particulièrement son attention, aussi bien à l'intérieur de la littérature qu'en dehors d'elle; d'où l'étude des fêtes populaires, du carnaval, de l'histoire du rire.

Chacune de ces vastes explorations peut être jugée dans le domaine qui lui est propre; mais il est clair aussi qu'elles participent toutes d'un projet commun. Ce projet ne peut plus être réconcilié avec l'idéologie individualiste, responsable de tant d'autres affirmations de Bakhtine, et ce dernier a raison de rappeler que Dostoïevski est aux antipodes de la « culture de la solitude principielle et sans issue » (*Estetika...,* p. 312), de l'idée de l'être auto-suffisant. Pour distinguer les deux doctrines, Bakhtine oppose parfois le « personnalisme » au « subjectivisme » : celui-ci se limite au « je », celui-là repose sur la relation entre « je » et « l'autre » (cf. p. 370). Et la comparaison qui lui semble évoquer le mieux la conception du monde de Dostoïevski ne s'accorde pas avec ses autres thèses, mais postule l'irréductibilité de l'entité transindividuelle :

> S'il faut chercher pour lui une image vers laquelle tendrait tout ce monde, une image qui soit dans l'esprit de l'univers intellectuel de Dostoïevski lui-même, ce sera l'Église, comme communion d'âmes non confondues, rassemblant pécheurs et justes (*Dostoïevski,* p. 36).

Mais l'Église n'est pas une simple confrontation de voix aux droits égaux, elle est un lieu qualitativement distinct des individus qui l'occupent, et ne peut exister qu'à la faveur d'une foi commune.

Le « surhomme » existe – mais non au sens nietzschéen d'être supérieur; je suis le surhomme de l'autre, comme lui l'est de moi : ma position extérieure (mon « exotopie ») me donne ce privilège de le voir comme un tout. En même temps, je ne puis agir comme si les autres n'existaient pas : savoir que l'autre peut me voir détermine radicalement ma condition. La socialité de l'homme fonde sa morale : non dans la pitié, ni dans l'abstraction de l'universalité, mais dans la reconnaissance du caractère constitutif de l'interhumain. Non seulement l'individu n'est pas réductible au concept, mais aussi le social est irréductible aux individus, seraient-ils nombreux. Et on peut imaginer une transgrédience qui ne se confonde pas avec la supériorité pure et simple, qui ne me conduise pas à transformer l'autre en objet : c'est celle qu'on vit dans les actes d'amour, d'aveux, de pardon, d'écoute active (cf. *Estetika...,* p. 325).

On pourra reconnaître dans ce langage quelques réminiscences chrétiennes. On sait aussi que Bakhtine était, dans sa vie personnelle, un croyant (chrétien orthodoxe). Les quelques rares références explicites à la religion, dans ses écrits publiés, permettent de reconstituer ainsi sa position. Le christianisme est une religion en rupture radicale avec les doctrines précédentes, et notamment le judaïsme, en ce qu'il ne voit plus Dieu comme une incarnation de la voix de ma conscience, mais comme un être à l'extérieur de moi qui me fournit la transgrédience dont j'ai besoin. Je dois aimer l'autre et ne dois pas m'aimer moi-même, mais lui peut et doit m'aimer. Le Christ est l'autre sublimé, un autre pur et universel : « Ce que je dois être pour l'autre, Dieu l'est pour moi » (*Estetika...*, p. 52). L'image du Christ, donc, à la fois fournit le modèle de la relation humaine (l'asymétrie du « je » et du « tu », et la nécessaire complémentarité du « tu ») et en incarne la limite extrême, puisqu'*il n'est qu'autre*. Une telle interprétation du christianisme se rattache au courant christologique, vivant dans la tradition religieuse russe et bien familier à Dostoïevski. Or, affirme Bakhtine, ce qu'est le Christ pour les hommes, Dostoïevski l'est pour ses personnages (ce qui ne revient pas du tout, on le voit, à le mettre sur le même plan qu'eux) :

C'est, pour ainsi dire, l'action de Dieu à l'égard de l'homme, lui permettant de se révéler à soi jusqu'au bout (dans un développement immanent), de se condamner soi-même, de se réfuter (p. 310).

On mesurera l'originalité de cette interprétation de l'autre absolu, due à Bakhtine (ou peut-être à Dostoïevski) en la comparant à une autre formulation célèbre : celle que donne Rousseau en parlant de lui-même, dans la préface abandonnée des *Confessions* où il se voit comme un pur autre. Rousseau se place dans l'optique de la connaissance de soi, tâche que confrontent tous les hommes ; et il propose sa propre vie comme devant leur servir de point de comparaison :

Je veux tâcher que, pour apprendre à s'apprécier, on puisse avoir du moins une pièce de comparaison ; que chacun puisse connaître soi et un autre, et cet autre ce sera moi (*Œuvres complètes*, I, p. 1149).

La différence importante n'est pas dans la nature humaine ou divine de ce médiateur universel : le Christ de Bakhtine est une figure suffisamment humaine; ni en ce que Rousseau se désigne lui-même pour ce rôle, alors que Bakhtine y place un autre que soi. L'essentiel, c'est que l'autre n'intervient, dans cette phrase de Rousseau, que comme un objet de comparaison avec un soi déjà entièrement constitué; tandis que, pour Bakhtine, il participe de cette constitution même. Rousseau n'en voit la nécessité que dans le processus de connaissance d'un objet préexistant; le Christ de Bakhtine épuise son rôle dans une interacion fondatrice de l'humain. Le monde de Rousseau est fait d'atomes auto-suffisants, où la relation entre hommes se réduit à la comparaison; le monde de Bakhtine (et de Dostoïevski) connaît – et exige – la transcendance latérale, où l'interhumain n'est pas simplement le vide qui sépare deux êtres. Or, l'une de ces conceptions n'est pas seulement plus généreuse que l'autre; elle est aussi plus vraie. Sartre le disait dans *Saint Genet* :

> Longtemps nous avons cru à l'atomisme social que le XVIIIe siècle nous a légué et il nous semblait que l'homme fût de naissance une entité solitaire qui entrait après coup en relations avec ses semblables. [...] Nous savons aujourd'hui que ce sont des billevesées. La vérité est que la « réalité humaine » « est-en-société » comme elle « est-dans-le-monde » (p. 541).

L'absolu trouve donc bien une place dans le système de pensée de Bakhtine, même si lui n'est pas toujours prêt à le reconnaître, et même s'il s'agit d'une transcendance de type original : non plus « verticale », mais « horizontale », ou « latérale »; non plus d'essence, mais de position. Les hommes n'accèdent qu'à des valeurs et des sens relatifs et incomplets, mais ils le font avec pour horizon la plénitude du sens, l'absoluité de la valeur, ils aspirent à une « communion avec la *valeur supérieure* (à la limite absolue) » (*Estetika...,* p. 369).

On peut revenir maintenant au point de départ et réexaminer la position de Bakhtine par rapport à l'histoire de l'esthétique – non plus telle qu'il la formule lui-même ici ou là, mais telle qu'elle découle de ses choix philosophiques les plus originaux. Qu'en est-il de la littérature? Qu'en est-il de la critique?

Pour ce qui est de la première question, il faut d'abord le constater : dans sa pratique, Bakhtine ne s'est pas tenu à la critique de la définition formaliste de la littérature (pour la remplacer par une autre); non, il a simplement renoncé à chercher la spécificité littéraire. Non que cette tâche perde tout sens à ses yeux; mais ce sens n'existe que par rapport à une histoire particulière (de la littérature ou de la critique), et ne mérite pas la place centrale qu'on lui avait attribuée. Ce qui lui apparaît maintenant comme beaucoup plus important, ce sont tous les liens qui se tissent entre la littérature et la culture, en tant qu'« unité différenciée » des discours d'une époque (cf. *Estetika...*, p. 329-330). D'où son intérêt pour les « genres primaires » (exactement comme chez Brecht), c'est-à-dire les formes de conversation, de discours public, d'échanges plus ou moins réglementés. Plutôt que « construction » ou « architectonique », l'œuvre est avant tout hétérologie, pluralité de voix, réminiscence et anticipation des discours passés et à venir; carrefour et lieu de rencontres; elle perd du coup sa place privilégiée. Désobéissant à son premier programme, Bakhtine n'étudie jamais des œuvres entières, ni ne s'enferme à l'intérieur d'une seule œuvre : à vrai dire, la question de l'architectonique ne se pose même plus. L'objet de ses analyses littéraires est autre : le statut des discours par rapport aux interlocuteurs présents ou absents (monologue et dialogue, citation et parodie, stylisation et polémique), d'une part; l'organisation du monde représenté, notamment la construction du temps et de l'espace (le « chronotope »), de l'autre. Ces caractéristiques textuelles sont directement liées à une conception du monde contemporaine, mais elles ne s'y épuisent pas, puisque les hommes des époques postérieures s'en emparent et y découvrent des sens nouveaux. L'objet de Bakhtine est bien la transtextualité, non plus sous la forme des « procédés » formalistes, mais comme appartenance à l'histoire de la culture.

Quant à la critique, Bakhtine en annonce (plutôt qu'il ne pratique) une nouvelle forme, qui mériterait de recevoir le nom de *critique dialogique*. On se souvient de la rupture introduite par le *Traité théologico-politique* de Spinoza, et de ses conséquences : la transformation du texte étudié en objet. Pour Bakhtine, une telle position du problème déforme dangereusement la nature du discours humain. Réduire l'autre (ici l'auteur étudié) à un objet, c'est en méconnaître la caractéristique principale, à savoir qu'il est un sujet, justement, c'est-à-dire quelqu'un qui parle – exactement comme je le fais en dissertant sur lui. Mais comment lui redonner la parole ? En reconnaissant la parenté de nos discours, en voyant dans leur juxtaposition, non celle du métalangage et du langage-objet, mais l'exemple d'une forme discursive bien plus familière : le dialogue. Or, si j'accepte que nos deux discours sont en relation dialogique, j'accepte aussi de me reposer la question de la vérité. Ce n'est pas pour autant revenir à la situation d'avant Spinoza, lorsque les Pères de l'Église acceptaient de se placer sur le terrain de la vérité parce qu'ils croyaient la détenir. On aspire ici à chercher la vérité, plutôt qu'on ne la considère comme donnée d'avance : elle est un horizon ultime et une idée régulatrice. Comme le dit Bakhtine :

> Il faut dire que le relativisme comme le dogmatisme excluent également toute discussion, tout dialogue authentique, en les rendant soit inutiles (le relativisme), soit impossibles (le dogmatisme) (*Dostoïevski,* p. 93).

Pour la critique dialogique, la vérité existe mais on ne la possède pas. On retrouve donc chez Bakhtine un rapprochement entre la critique et son objet (la littérature), mais il n'a pas le même sens que chez les critiques-écrivains français. Pour Blanchot et Barthes les deux se ressemblent par l'absence de tout rapport à la vérité ; pour Bakhtine elles le font parce qu'elles sont engagées dans sa quête, sans que l'une soit privilégiée par rapport à l'autre.

Une telle conception de la critique a des répercussions importantes sur la méthodologie de toutes les sciences humaines. La spécificité du monde humain, comme l'avait déjà remarqué Montesquieu, est que les hommes obéissent à des lois et qu'*en même temps* ils agissement librement. La conformité à la loi les rend justiciables de la même analyse que les phénomènes de la nature. D'où la tentation d'appliquer à la connaissance des hommes les méthodes des sciences naturelles. Mais s'en contenter serait oublier le caractère double du comportement humain. A côté de l'*explication* par des lois (pour parler le langage de la philosophie allemande du début du xxᵉ siècle, qu'emprunte Bakhtine), il faut pratiquer la *compréhension* de la liberté humaine. Cette opposition ne coïncide pas exactement avec celle entre sciences naturelles et sciences humaines : non seulement parce que celles-ci connaissent, à leur tour, l'explication, mais aussi parce que celles-là, comme nous le savons aujourd'hui, font usage de la compréhension; il reste vrai néanmoins que l'une prédomine ici et l'autre là.

Le travail du critique comporte trois volets. A un premier niveau, il s'agit du simple établissement des faits dont l'idéal, dit Bakhtine, est la précision : recueillir les données matérielles, reconstituer le contexte historique. A l'autre extrémité du spectre se situe l'explication par des lois : sociologiques, psychologiques, voire biologiques (cf. *Estetika...*, p. 343). Les deux sont légitimes et nécessaires. Mais c'est entre eux, en quelque sorte, que se situe l'activité la plus spécifique et la plus importante du critique et du chercheur en sciences humaines : c'est l'interprétation comme dialogue, qui seule permet de retrouver la liberté humaine.

Le sens est en effet cet « élément de liberté transperçant la nécessité » (*ibid.,* p. 410). Je suis déterminé en tant qu'être (objet) et libre en tant que sens (sujet). Calquer les sciences humaines sur les sciences naturelles, c'est réduire les hommes à des objets qui ne connaissent pas la liberté. Dans l'ordre de l'être, la liberté humaine n'est que relative et trompeuse. Mais dans celui du sens elle est, par principe, absolue, puisque le sens naît de la rencontre de deux sujets, et que cette rencontre recommence éternellement (*ibid.,* p. 342) : une fois de plus la pensée de Bakhtine rejoint le projet de Sartre. Le sens est liberté et l'interprétation en est l'exercice : tel semble bien être le dernier précepte de Bakhtine.

Connaissance et engagement
(Northrop Frye)

L'image la plus fidèle pour représenter la longue carrière intellectuelle de Northrop Frye serait celle, familière à tous les émules de Vico – et Frye en est un –, d'un mouvement giratoire qui va s'élargissant, d'une spirale qui, gardant toujours le même axe, traverse souvent des régions nouvelles. Frye est un auteur prolifique qui a pratiqué au moins quatre genres critiques différents : la monographie (il en a publié huit, dont une sur Blake, trois sur Shakespeare, une sur Milton); l'essai (six recueils jusqu'à présent; on retiendra particulièrement *Fables of Identity,* 1963; *The Stubborn Structure,* 1970; *Spiritus Mundi,* 1976); la brève série de conférences consacrées à un sujet théorique particulier (cinq volumes dont deux ont été traduits en français, *Pouvoirs de l'imagination,* 1969, et *la Culture face aux médias,* 1968-1969); enfin, le grand ouvrage de synthèse : *Anatomie de la critique* en 1957 (traduit en français, malheureusement pas très bien, en 1969) et, en 1982, *le Grand Code* (trad. fr., 1984). En ces plus de vingt ouvrages, c'est une même pensée qui s'exprime; il n'y a aucune rupture qu'on puisse situer dans le temps. Mais, si la pensée de Frye est, en grandes lignes, toujours la même, cela ne veut pas dire que c'est une pensée une, parfaitement cohérente; ou si l'on préfère : il n'y a peut-être pas de contradiction d'un livre à l'autre, mais cela ne rend pas chaque livre libre de toute contradiction. Selon un schéma dont mon lecteur aura maintenant l'habitude, je vais ici encore m'employer à distinguer entre ce qui, dans la pensée de Frye, relève de l'héritage romantique et ce qui déborde ce cadre conceptuel traditionnel; je vais donc, trahissant la lettre pour mieux voir l'esprit d'une œuvre, introduire la rupture là où il n'y a pour son auteur qu'une longue série de déplacements à peine perceptibles dans le centre d'intérêt, dans le degré d'adhésion à une thèse, dans l'accent d'insistance sur tel ou tel point.

Critique I

La première réponse que donne Frye à la question « Que doit faire la critique? » peut être résumée en quelques mots : elle doit devenir une science. Cette exigence n'est pas formulée dans une intention terroriste; c'est plutôt un énoncé de bon sens (mais la chose est rare dans le domaine des études littéraires, donc l'énoncé choque). Puisqu'on se met facilement d'accord pour dire que l'objectif des études littéraires est la meilleure connaissance des œuvres, il s'ensuit qu'il ne faut pas écrire une œuvre critique comme si l'on écrivait un poème, qu'on doit chercher à rendre ses concepts univoques et ses prémisses explicites, qu'on doit pratiquer l'hypothèse et la vérification. Ce serait même là une évidence, si l'on en juge par la source de revenus habituelle aux critiques (ils enseignent à l'Université) ou par l'aridité de leur style, qui rend leurs œuvres inaccessibles aux non-initiés.

Mais, si l'on accepte cette évidence première, il faut en tirer, ajoute Frye, au moins deux conclusions : la science littéraire se doit d'être à la fois systématique et interne. Comme il l'écrit au début de l'*Anatomy* :

> Quel que soit le domaine envisagé, l'introduction de la science fait que l'ordre apparaît à la place du chaos, le système là où il n'y avait que hasard et intuition; elle protège en même temps l'intégrité de ce domaine des invasions externes (p. 7).

Il doit donc conduire son combat sur deux fronts, en changeant chaque fois d'adversaire et d'allié. D'une part, il s'oppose à la tendance alors prédominante dans les études littéraires en Amérique du Nord (Frye est canadien), le *New Criticism* : celui-ci est, certes, interne, mais on y étudie œuvre après œuvre, sans aucun sens des ensembles plus vastes auxquels appartiennent ces œuvres : les genres, ou même la littérature; ni des principes structuraux qui agissent dans plus d'un poème, dans plus d'un roman. La position de Frye s'assimile ici à celle de n'importe quel praticien des sciences humaines, anthropologue, psychologue ou linguiste, qui n'étudie pas, de manière atomiste, phénomène après phénomène, mais recherche des régularités structurales.

C'est l'autre front, cependant, qui est plus animé, celui où Frye se bat, éventuellement en compagnie des *New Critics,* contre les adeptes de ces mêmes sciences humaines; ce combat ne concerne plus la méthode mais l'objet. Ce que Frye reproche à ses collègues inféodés à telle ou telle branche de la philosophie, de la psychologie ou de l'anthropologie est que leur approche est externe et qu'elle néglige la spécificité de la littérature. La science littéraire doit tirer ses principes de la littérature même et accéder à l'indépendance, plutôt que de se contenter du rôle de colonie ou de protectorat, soumis à une métropole puissante. Évoquant ses débuts de critique, Frye écrit :

> Lorsque, il y a de cela une génération, je me suis approché de ce domaine, il m'a semblé que la première chose à faire était de fonder les principes critiques à l'intérieur même de la critique, en essayant d'éviter ce déterminisme externe, où la critique doit être « fondée » sur quelque chose d'autre et traînée dans une espèce de fauteuil roulant religieux ou marxiste ou freudien (*Spiritus Mundi,* p. 5).

C'est que toute approche externe méconnaît nécessairement la spécificité de la forme littéraire comme du sens poétique, et reste dans l'incapacité de comprendre la relation complexe, souvent contradictoire, de l'œuvre littéraire avec son milieu.

L'approche interne, en revanche, situe l'œuvre dans le contexte qui lui est propre, celui de la tradition littéraire (pour nous, celle de l'Occident), avec ses multiples conventions : ses formes génériques, ses schémas narratifs, ses manières de signifier et ses ensembles d'images stéréotypées, qui passent presque intactes d'une œuvre à l'autre; ensembles auxquels Frye donne le nom d'« archétypes », en prenant donc ce mot dans un sens à la fois large et purement littéraire (équivalent à peu près aux *topoï* de Curtius). L'atomisme critique a tort car, lorsque nous lisons une œuvre, nous lisons toujours beaucoup plus qu'une œuvre : nous entrons en communication avec la mémoire littéraire, la nôtre propre, celle de l'auteur, celle de l'œuvre même; les œuvres que nous avons déjà lues, et même les autres, sont présentes dans notre lecture, et tout texte est un palimpseste.

La contribution spécifique de Frye, à ce point de notre lecture, n'est donc ni d'exiger une approche interne de la littérature, puisque telle est aussi l'idéologie critique dominante (celle des *New Critics*), ni d'opter pour une attitude systématique, ce qui relève du bon sens, mais d'avoir su combiner les deux, ce qui n'allait pas de soi. Ce faisant, il renoue (et il le sait) avec la tradition de la poétique, telle qu'elle existe depuis Aristote mais aussi telle qu'elle a pu être repensée de nos jours. Le rapprochement s'impose ici avec l'évolution des études littéraires en France, même si cette évolution est d'une dizaine d'années postérieure aux premiers écrits importants de Frye et que, par un paradoxe comme on en rencontre souvent, les Français connaissent alors les écrits des Formalistes russes mais non ceux de Frye. Le renouveau de la poétique en France, à partir du milieu des années soixante, se fait au nom de ces mêmes deux exigences, l'interne et la systématique. On peut donc, si on trouve de l'intérêt à ce genre de classification, appeler Frye « structuraliste », même si lui de son côté nous dit avoir ignoré le mot à l'époque d'*Anatomie de la critique*.

Ce cadre commun une fois reconnu, on peut observer une série de différences significatives. Lorsqu'on s'est intéressé à la métaphore et aux figures rhétoriques en France, c'était pour décrire un mécanisme linguistique; quand Frye le fait, c'est pour répertorier les métaphores les plus persistantes de la tradition occidentale. Quand on a étudié le récit, ici, c'était pour connaître la manière dont une intrigue se forme ou se présente à son lecteur; Frye, lui, enregistre et classe les intrigues favorites de deux mille ans d'histoire européenne. Bien sûr, je force un peu l'opposition; mais on peut dire sans porter atteinte aux faits que Frye s'intéresse plutôt aux substances, alors que les « structuralistes » français se tournent vers les formes; lui écrit une encyclopédie, eux, un dictionnaire, où les définitions renvoient les unes aux autres plutôt qu'à un objet qui leur serait extérieur (la littérature); lui est panchronique, en ce qu'il perçoit, fidèle en cela au précepte d'Éliot, une présence simultanée de toute la littérature, alors qu'eux sont achroniques, puisqu'ils étudient, finalement, les facultés de l'esprit humain (la capacité de symboliser ou de narrer). En dernière analyse, l'objet de connaissance, pour Frye, ce sont les hommes, et non l'homme, comme cela a été le cas en France. Différences bien entendu considérables, mais qui ne permettent pas moins la cohabitation dans un cadre conceptuel unique, et qu'il est possible de se représenter dans la complémentarité plutôt que dans la contradiction [1].

Une conséquence voyante des options générales de Frye est son refus de laisser une place aux jugements de valeur à l'intérieur des études littéraires. Ce refus forme le nerf de l' « Introduction polémique » à son *Anatomie de la critique*. Inscrire le jugement de valeur (« ce poème est beau », « ce roman est exécrable ») au programme des études littéraires, c'est, dit Frye, comme faire figurer à l'intérieur de la Constitution, à titre d'objectif de la société, le bonheur des citoyens : le bonheur est souhaitable, mais il n'est pas là à sa place. Ce contre quoi Frye veut nous mettre en garde, c'est l'illusion d'une déduction des jugements à partir de la connaissance (la confusion entre fait et valeur, stigmatisée depuis Weber dans les sciences sociales). Le jugement de valeur préexiste au travail de la connaissance, et il lui survit; mais il ne se confond pas avec lui, et il y a entre les deux une solution de continuité : la connaissance est orientée vers l'objet de l'étude, le jugement, toujours et seulement vers son sujet.

> Dans le travail de connaissance, le contexte de l'œuvre littéraire, c'est la littérature; dans le jugement de valeur, ce contexte, c'est l'expérience du lecteur. [...] Lorsqu'un critique interprète, il parle de son poète; lorsqu'il évalue, il parle de lui-même ou, tout au plus, de lui-même en tant que représentant de son temps (*The Stubborn Structure*, p. 66, 68).

1. En 1970, j'avais consacré le premier chapitre de mon *Introduction à la littérature fantastique* à une critique « structuraliste » de Frye. Outre qu'elle est hâtive, mon étude d'alors affirme sa fidélité aux principes mêmes dont se réclame Frye, comme je ne manque pas de le reconnaître, mais en donne une interprétation plus extrême : je reproche, en somme, à Frye de ne pas être assez interne ni assez systématique. Le débat m'apparaît maintenant comme se situant entre deux variantes du « structuralisme ».

Cela ne veut pas dire qu'il faille renoncer à juger : Frye lui-même ne s'en prive pas, mais il n'y a en cela aucune contradiction; simplement, il ne faut pas prétendre que le devoir-être se fonde dans l'être. A la différence des arts poétiques de la Renaissance, la poétique d'aujourd'hui dit comment les œuvres sont, non comment elles doivent être.

Mais il y a peut-être quelque chose de trompeur dans la simplicité avec laquelle Frye règle la question des rapports entre fait et valeur, entre connaissance et jugement. Il ne paraît pas opportun de soumettre ici cette épistémologie à un examen critique; remarquons toutefois que, par « jugement » et « valeur », Frye se réfère exclusivement à des appréciations de type esthétique, portant sur la seule beauté de l'œuvre. Or, une telle attitude esthétique est en elle-même fort restrictive et annonce le futur renoncement à tout jugement : l'œuvre d'art est déjà coupée des autres types de discours et son appréhension, des autres types de jugement, pour être réservée à la seule contemplation désintéressée, qui ne peut conduire au-delà de l'œuvre. Les textes littéraires sont pourtant imprégnés d'ambitions cognitives et éthiques; ils n'existent pas seulement pour produire un peu plus de beauté dans le monde, mais aussi pour nous dire quelle est la vérité de ce monde et pour nous parler de ce qui est juste et injuste. Le critique, lui aussi, peut formuler des jugements non seulement esthétiques (les moins engageants qui soient, donc, et qu'on peut laisser à la presse quotidienne et aux jurys littéraires), mais aussi des jugements sur la vérité et la justesse des œuvres.

Bien sûr, Frye lui-même n'ignore pas ces autres dimensions de la littérature. Il postule même, dans *Anatomie de la critique,* un niveau de sens commun à toutes les œuvres, qu'il appelle, d'un terme emprunté à l'exégèse traditionnelle de la Bible, le sens moral (ou tropologique) : on lit les œuvres dans un contexte de communication sociale, comme des préceptes pour nos actions quotidiennes; et, dans *The Well-Tempered Critic,* il écrit : « Il n'est pas forcément naïf d'écrire " comme c'est vrai " dans les marges du livre que nous lisons; ou en tous les cas nous n'avons pas à limiter notre contact avec la littérature à une réaction purement désintéressée et esthétique » (p. 141). Mais, lorsqu'il cherche à répercuter ce constat sur la forme même des études littéraires, le résultat est décevant : il se contente de transposer cette distinction entre deux aspects de la littérature en deux phases de la lecture : lorsque celle-ci est immédiate (ou « naïve », ou « invisible »), on cherche la beauté ; quand elle est médiatisée (ou « sentimentale », ou « visible »), elle a pour objectif la vérité, et c'est ce à quoi s'emploie le critique. Mais cette « vérité »-là n'est rien d'autre que l'établissement des faits ; chemin faisant, on a perdu la dimension éthique et cognitive de la littérature.

Retrouvant la distinction fondatrice de la philologie (le précepte de Spinoza : chercher le sens, non la vérité), Frye déclare : « Pour l'universitaire, le but n'est pas d'accepter ou de refuser le sujet mais de voir ce qu'il signifie » (*The Great Code,* p. xx), et il se refuse à rejoindre les critiques qui mènent des combats moraux en se servant de ces soldats de plomb qu'ils appellent « Milton » ou « Shelley ». En matière de morale, le seul jugement permis au critique est celui qui relie tel énoncé particulier de l'auteur à son système de valeurs général : « Le seul critère moral qu'on puisse leur appliquer est celui de la convenance *(decorum)* » (*Anatomy...,* p. 114) ; il s'enferme, autrement dit, dans un relativisme radical. On peut suivre Frye dans son souci de montrer qu'il n'y a pas de continuité entre l'établissement des faits et les jugements de valeur (l'un ne *conduira* jamais à l'autre), on peut refuser avec lui de voir l'un se substituer à l'autre, et néanmoins tenir la critique (comme du reste les autres sciences humaines) pour une activité à deux versants, connaissance *et* jugement ; dès lors, leur articulation devient nécessaire.

Mais laissons pour l'instant cette question en suspens.

Littérature I

Si l'influence de l'idéologie romantique sur le « premier » projet critique de Frye pouvait ne pas sauter aux yeux, sa « première » réponse à la question « Qu'est-ce que la littérature ? » révèle immédiatement ses attaches : en témoignent, dans *Anatomie de la critique,* les renvois à Mallarmé ou à ses émules Valéry et T. S. Eliot. La littérature se définit par l'autonomie de son discours, ce qui l'oppose au langage utilitaire :

Chaque fois que nous rencontrons une structure verbale autonome de cette espèce, nous avons affaire à la littérature. Chaque fois que cette structure autonome est absente, nous avons affaire au langage, aux mots, utilisés de manière instrumentale pour aider la conscience humaine ou pour comprendre quelque chose d'autre (*Anatomy...* p. 74).

L'activité poétique est une activité intransitive. « Le poète en tant que poète n'a comme intention que d'écrire un poème » (*ibid.,* p. 113). Le symbole poétique ne renvoie à rien qui lui soit extérieur, son sens, c'est sa place dans la structure (en cela la poésie est comme les mathématiques); l'affaiblissement ou la disparition des relations externes (« centrifuges ») est compensé par le renforcement des relations internes (« centripètes ») : les mots ne sont plus des signes mais des « motifs ».

En parlant d'autonomie, Frye sous-entend toujours : « par rapport à une série hétérogène ». L'élément constitutif d'une œuvre n'est pas autonome, il est au contraire fortement lié à tous ses autres éléments. Et, si l'œuvre elle-même est autonome par rapport à la non-littérature, elle est au contraire entièrement dépendante de la tradition littéraire : seule l'expérience de la littérature peut donner à quelqu'un l'idée d'écrire une œuvre littéraire; les poètes imitent Homère, non la nature. « Le nouveau poème, comme l'enfant nouveau-né, prend place dans un ordre verbal déjà existant. [...] On ne peut faire de la poésie qu'à partir d'autres poèmes; des romans, qu'à partir d'autres romans » (*ibid.,* p. 97). Toute textualité est intertextualité, et la question de l' « originalité » ou des « influences » est la plupart du temps mal posée : « la vraie différence entre le poète original et le poète imitateur est simplement que le premier est plus profondément imitateur » *(ibid.).*

Ces grandes options de Frye, rapidement présentées ici (une approche interne mais systématique; seulement la littérature mais toute la littérature), déterminent la forme de ce qui est probablement son ouvrage le plus populaire, *Anatomie de la critique :* ouvrage encyclopédique et synoptique, une sorte de super-classification qui ménage une place à tous les aspects de l'œuvre, mais qui, évidemment, se refuse à interpréter les œuvres ou à les situer par rapport à l'histoire de la société; un inventaire des formes littéraires, au sens large du mot « forme », qui inclut les configurations thématiques, les niveaux de sens, les espèces d'images, les conventions génériques, chacune de ces catégories étant elle-même subdivisée en deux, quatre ou cinq sous-catégories que viennent illustrer des exemples tirés, eux aussi, d'une culture encyclopédique. Cette taxinomie pourrait, bien entendu, être améliorée sur tel ou tel point (et Frye lui-même ne s'est pas privé de le faire), mais elle ne deviendra jamais autre chose que ce qu'elle est : une taxinomie, c'est-à-dire un outil de la pensée plutôt que la pensée elle-même.

Littérature II

On a vu que les Formalistes russes avaient été conduits à renier leur point de départ (l'affirmation de l'autonomie de la littérature) précisément parce qu'ils s'en étaient servis comme d'une hypothèse de travail. Quelque chose de semblable se produit avec Frye, même si la rupture, ici, est moins nette. A force de scruter la littérature, comme l'exigeaient ses postulats de départ, Frye s'est aperçu que... la littérature n'existait pas. Plus exactement, il fait (et ceci dès *Anatomie de la critique*) deux constatations liées. La première, c'est que la littérature est définie différemment selon les contextes historiques et sociaux, qu'il n'existe donc pas de définition structurale possible de l'objet littéraire (cf. *Anatomy...*, p. 345), et que la littérature est un objet foncièrement hétérogène. La seconde, qui n'est qu'une extension de la première, est qu'on ne peut couper la littérature des autres discours tenus dans une société (*ibid.,* p. 350 et déjà p. 104) : on trouve du « littéraire » en dehors de la littérature comme du « non-littéraire » en son intérieur.

C'est la première de ces deux observations qui détermine l'intérêt porté par Frye à un genre littéraire particulièrement hétérogène, la « ménippée » ou « anatomie » (il partage cet intérêt, pour des raisons qui ne sont pas sans pertinence, avec Bakhtine). Mais c'est sur la seconde qu'il reviendra encore plus fréquemment. Alors que dans *Anatomie de la critique* il pouvait aussi dire que l'étude de la littérature de deuxième ordre ne pouvait pas mener bien loin (cf. p. 17), il écrit dans *The Stubborn Structure* :

Je voudrais que tous les professeurs d'anglais, quel que soit leur niveau, puissent sentir qu'ils ont affaire à la totalité de l'expérience verbale, ou même imaginaire, de l'étudiant, non seulement à la petite partie appelée par convention littérature. Le bombardement verbal incessant que l'étudiant reçoit sous forme de conversations, publicité, mass-media, ou même de jeux verbaux comme le scrabble ou les mots croisés, frappe la même partie de l'esprit que la littérature, et contribue à façonner l'imagination littéraire beaucoup plus fortement que ne le font la poésie ou la fiction (p. 84-85).

Bref, « le domaine de la littérature ne devrait pas être limité à ce qui relève de la convention littéraire, mais élargi de façon à inclure le champ entier de l'expérience verbale » (*ibid., p.* 85). Et, s'il croit avoir influencé l'évolution des études littéraires, ce serait précisément dans ce sens-là, en débordant la stricte notion de littérature : « La révolution professionnelle à l'enclenchement de laquelle j'ai contribué a eu comme résultat l'affaiblissement de la distinction entre littérature classique et littérature populaire » (*Spiritus Mundi,* p. 22). Quoi qu'il en soit de cette influence, une chose est certaine : dans son œuvre même, Frye ne répugne pas à parler des devinettes et des charmes, des chansons de Bob Dylan comme de l'argot des étudiants.

La différence entre cette affirmation et la précédente (« Littérature I ») est de taille, même s'il n'y a pas lieu de parler d'un changement dans le temps. Alors qu'il exige, d'une part, que la critique se fonde sur des principes internes à la littérature, Frye affirme d'autre part que rien n'est externe à la littérature, pour peu qu'il ait trait à l'imaginaire. Alors qu'il recommande d'une part qu'on rapporte l'œuvre littéraire avant tout au contexte que forment pour elle les autres œuvres littéraires (un contexte diachronique, donc), il nous enjoint d'autre part d'établir la relation entre l'œuvre et son contexte verbal non littéraire (un contexte synchronique). Et même pas seulement verbal : en fait, tout ce qui relève de la culture est pertinent pour la compréhension de la littérature. Frye a cessé, ici, d'être un théoricien de la littérature pour devenir un théoricien de la culture; dans ce nouveau contexte, la littérature retrouvera une place mais qui, à la suite de ce mouvement d'aller-retour, n'est plus tout à fait la même. Il nous faut donc faire le détour par l'image globale de la culture qu'esquisse Frye, en particulier dans son livre *The Critical Path* (1971).

Il y a au point de départ une évidence : l'être humain vit simultanément dans deux univers distincts, celui de la nature et celui de la culture. Le monde de la nature, celui du temps et de l'espace, est fait de données objectives et indépendantes de sa volonté, et l'homme n'y est qu'un élément parmi d'autres. Le monde de la culture est un monde qu'il a créé lui-même et dont il restera toujours le centre (un monde géocentrique et anthropocentrique, donc); sa culture, c'est une incarnation des valeurs (des désirs, des espoirs, des craintes) d'une société. Un univers dont la seule caractéristique est d'être réel, d'un côté; un univers qui est un idéal devenu réel, de l'autre; un monde de la nature indifférente et un monde des hommes intéressés.

L'immersion de l'homme dans ces deux environnements si différents provoque en lui deux attitudes également distinctes. La manière la plus générale de les désigner, c'est d'un côté la *liberté* et de l'autre l'*engagement*. L'engagement *(concern)* est un terme que Frye emprunte à la tradition existentialiste; mais il lui donne un sens différent de celui qu'il avait, par exemple, dans les écrits de Sartre (comme on le voit déjà par l'opposition avec « liberté ») : c'est tout ce qui nous rattache à la société dans laquelle nous vivons, au monde de notre culture, et qui contribue à son intégrité. La liberté, ou désengagement, ou détachement, est une attitude d'examen désintéressé des faits qui nous entourent, une prise de connaissance du monde naturel dans lequel nous sommes plongés.

Ces deux attitudes se trouvent favorisées par différents aspects de la vie humaine et, à leur tour, elles se cristallisent dans des formes sociales distinctes. Il est clair par exemple que toute mise en valeur du social au détriment de l'individuel crée un terrain propice aux diverses formes d'engagement; inversement, l'intérêt pour la connaissance impartiale du monde naturel est corrélative avec l'épanouissement de l'individualisme. L'engagement est par essence conservateur, puisqu'il exige l'adhésion aux valeurs sociales; le désengagement est « libéral », en ce qu'il laisse l'individu et sa raison décider de la place de toute chose. L'engagement fleurit dans un contexte de culture orale favorisant le maintien des traditions; les civilisations de l'écriture, au contraire, facilitent l'isolement de l'individu et sa confrontation directe avec la nature. L'opposition la plus nette est peut-être celle qui concerne la nature de la vérité dans l'un et l'autre cas. Pour l'attitude d'engagement, la vérité est une vérité d'autorité, ou de révélation; elle coïncide avec les valeurs sociales, et la réaction humaine qui lui correspond est celle de la croyance. Pour l'attitude de liberté, la vérité est nécessairement vérité de correspondance, ou d'adéquation, une relation entre les faits et les discours plutôt qu'entre les discours et les valeurs; le comportement humain qui en dérive est celui de la connaissance.

Lorsque les attitudes d'engagement et de liberté se manifestent à travers le langage, elles donnent naissance à deux grands types de discours, que Frye appelle la *mythologie* et la *science*. La science, incarnée en particulier par les sciences naturelles, objective le monde, y compris le monde intérieur de l'homme; elle élève l'impartialité et le détachement au rang de vertus cardinales et reconnaît comme seuls arguments la vérification empirique et le raisonnement logique. « Mythologie » est un terme que Frye emploie également dans un sens large : c'est l'ensemble des discours qui expriment le rapport de l'homme aux valeurs. « Une mythologie est [...] un modèle culturel qui exprime la manière dont l'homme veut former et réformer la civilisation qu'il a lui-même créée » (*Spiritus Mundi,* p. 21). D'autres auraient employé à la place le terme « idéologie », et Frye le sait (cf. *The Critical Path,* p. 112); mais il préfère la racine « mythe » qui suggère que ces discours sont, de façon prédominante, des récits. La mythologie est un produit de l'imagination et une expression de l'idéal, mais tel est aussi le monde de la culture; la mythologie n'est donc rien d'autre que l'expression verbale d'une culture.

Ces deux mondes, ces deux attitudes, ces deux types de discours sont irréductibles l'un à l'autre. Mais l'esprit humain aspire à l'unité et il a donc, de tout temps, tendu à ramener l'un des deux à l'autre. La réaction classique est celle qui soumet la connaissance à la croyance et la nature à la culture. A l'aube de l'humanité, les mythes sont peut-être considérés, non seulement comme une expression de l'idéal, mais aussi comme une description du monde. On prend volontiers ses désirs pour la réalité, et on préfère se croire dans le monde harmonieux et intelligible présenté par les mythes, plutôt que chercher la vérité empirique. Cette attitude réputée primitive se maintient bien entendu jusqu'à nos jours, et elle a pu prendre, au cours de l'histoire, la forme de grands systèmes idéologiques, qui soumettent la liberté de la connaissance à l'engagement des convictions; ainsi dans le christianisme ou, plus récemment, dans le marxisme (ces deux exemples vont toujours de pair chez Frye), où la science est déduite d'une vision philosophique. La volonté de fonder une science biologique marxiste est une instance de cette dernière attitude.

> Lorsque nous entendons qu'il est plus important de changer le monde que de le connaître, nous savons qu'il s'agit là, de nouveau, d'un mouvement social qui cherche à subordonner tous les mythes philosophiques de liberté à un nouveau mythe d'engagement (*The Critical Path*, p. 53).

Mais il existe aussi une réaction spécifiquement moderne à la dualité de la condition humaine : c'est celle qui consiste à vouloir éliminer l'engagement au profit de la liberté, la mythologie au nom de la science. La science est originellement une attitude à l'égard de la nature; mais, puisqu'elle est, en même temps, un fait de société, elle devient à son tour le noyau d'une nouvelle mythologie, une mythologie intérieurement contradictoire, puisqu'elle affirme, contrairement au christianisme et au marxisme, un mythe de liberté. Ce mythe nous fait croire que tout engagement, toute idéologie est condamnée à une extinction prochaine, assurée par l'annexion de nouveaux domaines par la science. Une des conséquences de cette conviction est précisément l'affirmation que les mythes ne sont que de la science balbutiante :

> Les premiers spécialistes de la mythologie [...] aimaient voir en elle une science primitive, parce qu'il s'ensuivait un contraste flatteur entre les visions primitives de la nature et la leur. [...] Cette attitude était essentiellement un produit accessoire de l'idéologie européenne qui cherchait à rationaliser la manière dont on traitait au XIXᵉ siècle les peuples non européens (*Creation and Recreation*, 1980, p. 7).

Or une telle assimilation n'est pas moins illusoire, et dangereuse, que la précédente : elle repose sur une confusion entre fait et valeur, entre nature et culture, et elle ne permet pas de prendre en compte les propriétés spécifiquement humaines de notre monde. Nous ne devons pas avoir à choisir entre le monde sans liberté, peint par Orwell dans *1984,* et le monde sans engagement, représenté par Huxley dans *le Meilleur des mondes* (cf. *The Critical Path,* p. 55).

Frye ne se lasse donc pas d'affirmer la nécessité simultanée des deux, mythologie et science, engagement et liberté. L'engagement sans liberté dégénère en angoisse; la liberté sans engagement engendre l'indifférence. Il ne faut pas non plus rêver à une quelconque synthèse des deux :

> Il peut être révélateur que les efforts vraiment poussés pour réconcilier les deux espèces de réalité s'avèrent être des actes de cannibalisme : chez Hegel le savoir avale finalement la foi, tout comme dans la *Summa contra Gentiles* la foi avale le savoir *(The Critical Path,* p. 58).

Les deux attitudes ne se trouvent pas toujours en contradiction : parfois elles ont quelques analogies, ou tendent au rapprochement, ou même se croisent incidemment; mais, leurs natures étant distinctes, elles ne peuvent jamais coïncider; l'antithèse, et la tension, sont donc plus salutaires que la synthèse : n'envions pas à Cyclope son œil unique. L'être humain a besoin des deux discours, car il vit effectivement dans les deux mondes à la fois : la mythologie ne le sert pas dans son rapport aux choses impersonnelles, tout comme la science est de peu d'utilité dans le dialogue entre je et tu.

> Tant que l'homme vivra dans le monde, il aura besoin de la perspective et de l'attitude du savant; mais, dans la mesure où il a créé le monde qu'il habite, où il éprouve une responsabilité à son égard et se sent engagé dans sa destinée, qui est aussi sa propre destinée, il aura besoin de la perspective et de l'attitude du spécialiste des disciplines humanitaires *(The Stubborn Structure,* p. 55).

La démocratie, qui est la forme sociale dans laquelle nous vivons, se situe clairement du côté de la liberté, de la tolérance et de l'individualisme. Est-ce à dire que tout engagement y a disparu, ou doit disparaître? Certainement pas; mais le rôle qu'y joue la science modifie la place de l'engagement. Une mythologie qui ne tient compte que de la croyance ou, ce qui revient au même, qui revendique pour elle-même aussi bien la vérité d'autorité que la vérité de correspondance, est nécessairement une mythologie *fermée.* Mais une société qui reconnaît la coprésence nécessaire de liberté et d'engagement, de science et de mythologie, peut disposer d'une mythologie *ouverte,* et c'est la seule à laquelle doit aspirer la société démocratique. Cette mythologie-là n'est rien d'autre qu' « une pluralité de mythes d'engagement, où l'État assume la tâche de garder la paix entre eux » *(The Critical Path,* p. 106). Cela ne veut pas du tout dire, comme on s'empresse parfois de le croire, que dans une telle société toutes les valeurs sont relatives (ne dépendent que des points de vue), ni qu'on renonce à toute vérité d'autorité; ce qui est modifié, c'est la fonction de cette vérité : plutôt qu'obligation préalable, elle devient l'horizon commun d'un dialogue où s'affrontent des opinions différentes; elle est ce qui rend ce dialogue possible. Et Frye propose même quelques points de repère permettant d'évaluer les différents mythes d'engagement qui circulent dans notre société : leur compatibilité avec la charité, ou respect pour la vie d'autrui, comme avec l'honnêteté intellectuelle et donc finalement avec les résultats de la science.

Comment se manifeste, concrètement, une mythologie? Dans les sociétés traditionnelles, elle trouve son expression dans les mythes et dans les diverses formes de pratique religieuse. Dans les sociétés modernes, ce rôle est assumé par ce que nous appelons la culture, avec, en son centre, les arts et plus particulièrement la littérature, la littérature narrative plus que tout le reste. D'où l'affinité entre religion et littérature : non que celle-ci provienne de celle-là, ou doive la remplacer, mais parce que toutes deux sont des variétés de mythologie, adaptées à des sociétés différentes. La littérature – à laquelle nous revenons après ce long détour – n'est pas une forme dégradée de science, n'est pas une description du monde, mais une expression des valeurs d'une société, un monde imaginé. La fonction de la littérature est de « doter la société d'une vision imaginaire de la condition humaine », écrit Frye (« Littérature

119

et mythe », *Poétique,* 8, 1971, p. 497), et aussi : « La littérature est le " grand code " de l'engagement » (*The Critical Path,* p. 128); on voit que, même si la pensée de Frye n'a jamais connu de véritables ruptures, une certaine distance sépare cette affirmation de la conception de la littérature exposée précédemment, où la littérature trouve son but en elle-même. Toute réduction des arts à une fonction purement esthétique de contemplation est erronée, car elle ignore cette dimension sociale essentielle. Le rôle réservé aux arts dans les sociétés démocratiques est, de plus, qualitativement nouveau : c'est celui d'un laboratoire où se préparent, en liberté, de nouveaux mythes d'engagement. Ce n'est pas un hasard si les arts sont réprimés dans les sociétés qui vivent sous la règle d'un engagement unique, comme les sociétés totalitaires. Non seulement la littérature est sociale, mais aussi la société (démocratique) a besoin de la littérature. « Par elle-même, la littérature ne peut empêcher la destruction totale, qui est l'un des nombreux destins possibles de la race humaine; mais je pense que ce destin serait inévitable sans la littérature », conclut Frye (dans une conférence inédite, « Literature as a Critique of Pure Reason », 1982), en écho, peut-être, aux phrases par lesquelles Sartre terminait *Qu'est-ce que la littérature?...* « Le monde peut fort bien se passer de la littérature. Mais il peut se passer de l'homme encore mieux » (p. 357).

Pendant près de deux mille ans, pense Frye, l'Europe de l'Ouest a exprimé ses engagements à travers un vaste ensemble de mythes; ces mythes restent vivaces de nos jours, même si Rousseau et les romantiques, Marx et Freud ont apporté des éléments mythologiques nouveaux. Cet ensemble trouve son origine dans la Bible, dans la tradition judéo-chrétienne qui, depuis le temps de sa création, a réussi à absorber les autres mythes présents dans la mémoire collective : ceux de la mythologie classique comme ceux de l'amour courtois, les légendes des Nibelungen comme celles du roi Arthur. La Bible, comme l'a dit Blake, est « le Grand Code de l'Art », proposant un modèle de l'espace, du ciel à l'enfer, comme du temps, depuis la genèse jusqu'à l'apocalypse; tous les poètes européens s'en sont servis, qu'ils l'aient su ou non. On voit maintenant mieux en quoi réside l'unité de l'œuvre critique de Frye, dont le premier livre, *Effrayante Symétrie* (1947), est une monographie sur Blake et le dernier en date, *le Grand Code,* une exploration de la mythologie biblique. En critique littéraire, semble-t-il, souvent l'objet étudié s'empare de la volonté du sujet étudiant : tout comme Bakhtine est resté pendant toute sa vie une sorte de porte-parole de Dostoïevski, Frye n'a jamais fait qu'amplifier et expliciter cette intuition de Blake.

Critique II

Dans *Anatomie de la critique,* Frye définit son projet comme une « étude systématique des causes formelles de l'art » (p. 29). Si l'on tient compte de ses autres écrits, on devrait ajouter : « et une libre réflexion sur les effets sociaux de l'art ». Mais lui-même est prêt à faire la correction, dans l'*Anatomie* même comme ailleurs :

> La critique aura toujours deux aspects, l'un tourné vers la structure de la littérature, l'autre, vers les autres phénomènes culturels qui forment l'entourage social de la littérature. Ensemble, ils s'équilibrent l'un l'autre : lorsqu'on travaille sur l'un en excluant l'autre, la perspective critique a besoin d'être mise au point *(The Critical Path,* p. 25).

C'est pour cette raison que Frye refuse de se reconnaître dans une école à laquelle il appartiendrait (même si c'était pour en être le chef), et du reste rejette comme illusoire la pluralité de « méthodes » qui caractériserait la critique contemporaine : la seule différence est dans la partie de l'objet à laquelle on s'attache. Comprendre un texte littéraire, écrit-il ailleurs (*The Stubborn Structure,* p. 88), n'est jamais rien d'autre que le mettre en relation avec des contextes différents : celui des autres œuvres de l'auteur et le reste de sa vie; celui de son temps; celui de la littérature prise comme un tout. La préférence personnelle qu'on éprouve pour l'étude de tel contexte plutôt que de tel autre ne signifie pas qu'il a une pertinence exclusive; les diverses critiques d'une œuvre peuvent, une fois de plus, se compléter plutôt que se contredire.

Mais comment situer la critique par rapport à l'opposition entre engagement et liberté, entre mythologie et science? Frye hésite là-dessus. D'une part, il sait que la critique, comme toutes les sciences humaines, comme la théorie politique ou la philosophie, est partie intégrante de la structure mythologique propre à la société, même si, tout comme les autres disciplines humanitaires, elle obéit aussi à des règles de vérification empirique et de raisonnement logique : elle participe en effet à l'établissement du monde des valeurs d'une société. Mais, d'autre part, fidèle à son interprétation de la science comme produit de l'attitude de liberté et non d'engagement, il refuse d'attribuer au savant une responsabilité autre que la description exacte de son objet. On pourrait peut-être dépasser cette contradiction apparente des énoncés si on remontait à ce qui est sa cause, à savoir la complexité de l'objet décrit. Il est vrai que ces disciplines, et singulièrement la critique, participent à la fois des sciences et des arts; non, on l'a vu avec Bakhtine, parce qu'une écriture « artiste » y est requise, mais parce que, en même temps qu'il obéit aux contraintes scientifiques, le critique prend position par rapport aux valeurs qui sont la matière des textes littéraires eux-mêmes; ou, en tous les cas, il devrait le faire. Comme le rappelle à l'occasion Frye lui-même « le seul savoir digne de ce nom est celui qui conduit à la sagesse, car un savoir sans sagesse est un corps sans vie » (*The Stubborn Structure,* p. 15). Mais peut-on aspirer à la sagesse si on se contente de situer chaque auteur par rapport à l'idéal qui lui est propre, comme nous le conseillait l'auteur d'*Anatomie de la critique*? Si nous sommes ainsi conduits à l'aporie, c'est que la dichotomie initiale de Frye était par trop radicale (ce qui ne veut pas dire qu'il faut l'éliminer complètement). Les valeurs ne relèvent pas de la vérification empirique, c'est un fait; mais est-il pour autant inévitable de les voir fondées par la seule autorité? On peut *discuter* des valeurs et des goûts, contrairement à ce que dit l'adage ancien; or, cette possibilité même implique une référence à l'universel et à la vérité, qui n'est plus incompatible avec l'esprit de la science.

Je pense qu'en réalité Frye a choisi de concilier savoir et sagesse, connaissance et engagement, plutôt que de se laisser enfermer dans une conception moniste de son métier; il est même allé assez loin dans la direction de l'artiste, et donc du moraliste, si l'on en juge par la forme et le style de ses écrits. Ce n'est pas que tout y soit irréprochable. Son texte donne souvent l'impression de présenter en termes plus simples, de « vulgariser » une pensée dont on ne possédera jamais la version rigoureuse. Ses ouvrages, de plus, sont curieusement répétitifs : j'en verrais l'explication moins dans son évidente facilité d'écriture que dans la conviction un peu naïve que ses lecteurs, comme ses auditeurs, sont toujours différents, et qu'il faut donc leur expliquer tout depuis le début; toujours est-il qu'à chaque nouveau livre nous découvrons que le précédent n'en était que le brouillon. On peut regretter cet état des choses mais on ne peut s'empêcher de voir qu'il procède d'une conviction parfaitement justifiée : à savoir que le pédantisme du style peut tuer la liberté de la pensée. C'est pour cette raison que l'étude systématique a été complétée, comme je le disais, par la libre réflexion : le jargon spécialisé est réduit au minimum, les notes ont disparu, les analyses d'autres ouvrages ayant trait aux mêmes sujets sont exceptionnelles. Le contexte que recréent les livres de Frye est celui du dialogue, non celui de l'étude impersonnelle. Il parle à un auditeur bienveillant mais non spécialiste. Et, quand on quitte un livre de Frye, on n'a peut-être pas toujours l'impression d'avoir beaucoup appris; mais on a le sentiment d'avoir été en contact, pendant un moment, avec un esprit possédant cette qualité rare : la noblesse.

La critique réaliste
(Correspondance avec Ian Watt)

L'œuvre de Ian Watt n'est pas traduite en français, mises à part deux publications dans la revue *Poétique*. Ce qui explique la chose, sans pour autant l'excuser, est que, jusqu'à présent, cette œuvre a porté essentiellement sur la littérature anglaise, même si Watt s'est aventuré également dans le domaine de la théorie anthropologique générale, en collaborant à un essai retentissant sur le rôle de l'écriture dans l'histoire (« The Consequences of Literacy », avec Jack Goody, 1960, reproduit par exemple dans J. Goody, éd., *Literacy in Traditional Societies,* 1968). Cette œuvre n'est d'ailleurs pas abondante; elle se limite à deux livres : *The Rise of the Novel* (1957), étude sur la « naissance du roman » en Angleterre à travers l'œuvre de Defoe, Richardson et Fielding, et *Conrad in the Nineteenth Century* (1979), premier tome d'une monographie sur Conrad, qui doit en comporter deux; s'ajoute à cela une douzaine d'articles substantiels. La raison de ce faible volume est inhérente au travail même que mène Watt : il n'est pas un théoricien mais un empiriste; or celui-ci, à la différence de celui-là, est obligé de lire beaucoup et d'écrire peu.

Mais ces deux ouvrages sont deux chefs-d'œuvre de critique littéraire. C'est pourquoi je choisis l'œuvre de Watt comme exemple – particulièrement réussi, il faut bien le dire – d'un genre de travail critique qui risquerait de passer inaperçu si l'on ne tenait compte que des énoncés programmatiques et des réflexions théoriques, alors qu'il absorbe en réalité les efforts de la majorité des personnes qui s'adonnent à cette profession. Travail de commentaire patient, de restitution du sens des mots et des constructions syntaxiques, recherche d'informations de toute sorte, soumis à un but unique : faire mieux comprendre le texte qu'on a sous les yeux. Cette critique-là ne crie pas son programme sur les toits, mais celui-ci doit bien exister quelque part; encore faut-il se donner la peine de le chercher. Comme il se trouve que je connais personnellement Ian Watt, j'ai décidé de lui adresser ma description de son travail, pour lui donner l'occasion de s'exprimer dessus; voici l'échange qui en a résulté.

Cher Ian,

Je te livre ici quelques réflexions qu'a suscitées en moi la lecture de tes écrits critiques.

Appelons *commentaire* le texte qu'on produit à partir d'un autre texte, afin de faciliter sa compréhension. L'opération fondamentale du commentateur est au fond toujours la même : elle consiste à mettre en relation le texte qu'il analyse avec d'autres éléments d'information, qui du coup forment son contexte. Quels sont les contextes essentiels auxquels on se réfère en lisant une page? Schleiermacher, fondateur de l'herméneutique à l'âge moderne, en identifiait deux. D'une part sera nécessaire la connaissance de la langue de l'époque, qu'on pourrait symboliser par un dictionnaire et une grammaire; c'est ce qu'il appelait l'interprétation « grammaticale ». D'autre part, il faut inclure la page analysée dans le corpus auquel elle appartient : l'œuvre dont elle est extraite, les autres œuvres du même écrivain, et même toute sa biographie; il appelait cette interprétation « technique ».

Les termes de Schleiermacher ne s'emploient plus de nos jours; aussi les remplacerai-je par d'autres, en parlant d'analyse *philologique* dans le premier cas (restitution de la langue de l'époque) et d'analyse *structurale,* au sens large, dans le second (la mise en évidence des relations intratextuelles). Mais ces deux contextes n'ont pas été considérés comme suffisants, et ils ont été complétés par d'autres, dont je retiendrai ici deux, qu'on peut considérer, à certains égards, comme des prolongements des deux premiers. Il y a d'une part ce que j'appellerai le contexte *idéologique,* qui est fait des autres discours tenus à la même époque, philosophique, politique, scientifique, religieux, esthétique, ou des représentations des réalités socio-économiques; c'est donc un contexte à la fois *synchronique* et *hétérogène,* contemporain et non littéraire. On l'appelle parfois le contexte « historique », mais c'est là un usage paradoxal du mot, puisque se trouve justement éliminée toute dimension temporelle; l'appellation conviendrait en fait mieux à un autre grand contexte que, pour ne pas embrouiller les choses, j'appellerai simplement le contexte *littéraire*. Il s'agit de la tradition littéraire, de la mémoire des écrivains et des lecteurs, qui se cristallise dans des conventions génériques, stéréotypes narratifs et stylistiques, images plus ou moins immuables; c'est donc un contexte à la fois *diachronique* et *homogène*.

Quelles relations entretiennent ces différents contextes? Il faut distinguer ici le droit et le fait. En pratique, la spécialisation moderne exige qu'on choisisse l'un au détriment de l'autre, pour acquérir une plus grande compétence. Mais, en principe, on ne voit pas au nom de quoi ces mises en relation successives devraient être déclarées exclusives l'un de l'autre. L'œuvre littéraire (comme du reste les autres) est trop évidemment dépendante de son contexte idéologique *et* de son contexte littéraire, sans parler du fait qu'analyse philologique et analyse structurale devraient accompagner toute tentative d'une meilleure compréhension du sens. Il est donc à la fois vain et nuisible d'opposer ces différentes perspectives, en revendiquant pour chacune d'elles un droit de monopole; si l'on a pu s'égarer dans cette voie, c'est qu'on a fait du moyen un but : au lieu que le travail accompli dans chacune de ces perspectives contribue à la compréhension des œuvres, on a réifié ces points de vue en idéologies concurrentes, à prétention totalisante. Il est néanmoins bon de découvrir que ces perspectives critiques sont compatibles, non seulement de droit, mais aussi de fait; or, telle est la démonstration qu'apporte ton œuvre critique.

Le premier chapitre de *The Rise of the Novel* s'ouvre sur une double question, à laquelle répond tout le reste de l'ouvrage : « En quoi le roman diffère-t-il des œuvres de fiction en prose qui existent dans le passé, par exemple en Grèce, ou au Moyen Age, ou au XVIIe siècle en France? Et y a-t-il une raison pour que ces différences aient apparu en tel lieu et à tel moment? » (p. 9; ce chapitre a été traduit dans *Poétique,* 16). On voit déjà que ces questions font appel à plusieurs des contextes évoqués précédemment. La compétence philologique, allant de soi, n'est pas mentionnée; mais la première question rappelle aussi bien la perspective structurale (l'identification du genre romanesque, sa description formelle) que la perspective littéraire (une

confrontation de cette forme-là avec la tradition littéraire);
alors que la seconde est orientée vers le contexte idéologique,
puisqu'elle met en relation le genre avec d'autres événements
contemporains.

Et tout le livre poursuit simultanément ces diverses enquêtes.
Il décrit d'une part les traits formels du genre romanesque, par
contraste avec la prose antérieure : le choix d'une intrigue
originale plutôt que traditionnelle; la représentation de phénomènes changeants plutôt que d'essences immuables; l'intérêt
pour la vie des individus, qui se traduit par un type nouveau de
noms des personnages; la particularisation du temps, qui
aboutit au xxᵉ siècle au monologue intérieur; la particularisation de l'espace; l'usage du langage « comme simple moyen de
dénotation » (p. 28), etc. D'autre part, il analyse les grandes
idées apportées par Descartes et Locke, ou par la révolution
religieuse des puritains, ainsi que les transformations des
réalités sociales et économiques elles-mêmes, puisque celles-ci,
sous la forme de discours ou d'images, sont également présentes
dans la conscience des auteurs et des lecteurs de l'époque (on
apprend par exemple en quoi consistait, statistiquement parlant, l'évolution du mariage en Angleterre au xviiiᵉ siècle).

Il en va de même de tes autres écrits. Chaque œuvre de
Conrad (on a affaire ici à un écrivain individuel et non plus à un
genre) est longuement analysée en elle-même; mais ces analyses
sont précédées d'un rappel des grands débats idéologiques de
l'époque (entre éthique victorienne et nihilisme naissant, entre
nostalgie religieuse et idéologie scientiste), comme de leurs
échos dans la réflexion proprement esthétique (les mouvements
impressionniste et symboliste); ces œuvres sont de plus constamment confrontées à d'autres textes littéraires, contemporains et antérieurs. Une analyse plus brève de Henry James
identifie d'abord les caractéristiques de son style : « Préférence
pour les verbes intransitifs; abondance des noms abstraits;
usage copieux de *that*; un certain recours à des variantes
élégantes visant à éviter l'accumulation de pronoms personnels
et d'adjectifs possessifs tels que " il ", " son ", " lui "; enfin,
l'emploi très fréquent de négations ou de quasi-négations »
(« The First Paragraph of *The Ambassadors* », 1960; trad. fr. in
Poétique, 34, p. 176); elle se prolonge ensuite en réflexion sur
l'empirisme et l'individualisme de James, ou sur le relativisme

sceptique, qui domine, non seulement la pensée de James, mais aussi celle de la seconde moitié du XIXᵉ siècle.

On pourrait croire, d'après ma description, qu'il s'agit d'une mécanique juxtaposition. Mais il n'en est rien, et l'explication est la suivante : à l'intérieur de chaque livre, tu forges une sorte de *lingua franca,* d'espéranto, dans laquelle tu traduis les différents discours que tu analyses. Cette langue intermédiaire est celle de l'*idéologie,* entendue ici comme la traduction en langage commun aussi bien des idées philosophiques, ou religieuses, ou politiques, que des formes littéraires. C'est un peu ce que Montesquieu appelait l' « esprit des nations », un substrat idéologique produit sous l'effet de toutes les institutions sociales et les imprégnant en retour. Il faut dire que, si le premier type de conversion, des autres discours en discours idéologique, ne pose que des problèmes de choix du niveau d'abstraction, le second, des formes littéraires à l'idéologie, révèle chez toi un don d'interprète peu commun. C'est sans aucun effort visible que tu écris des phrases comme : « La totale soumission du sujet au modèle des Mémoires autobiographiques [opérée par Defoe] est une affirmation de la primauté de l'expérience individuelle aussi provocante que l'était le *cogito* de Descartes pour la philosophie » (*The Rise of the Novel,* p. 15), ou bien : « Le roman exige une conception du monde centrée sur les relations sociales entre personnes individuelles » (*ibid.,* p. 84), ou encore : « Les traits les plus frappants et identifiables du style de James, son vocabulaire et sa syntaxe, reflètent directement son attitude à l'égard de la vie et sa conception du roman » (« Le premier paragraphe... », p. 188-189).

L'hypothèse sous-jacente à ce genre d'analyse est que la littérature est une forme d'idéologie parmi bien d'autres. Cette hypothèse – minimale – ne doit pas être confondue avec des affirmations plus ambitieuses. Il est abusif, par exemple, d'affirmer une relation de cause à effet entre une idéologie sociale déjà constituée et la littérature. « Les innovations tant philosophiques que littéraires [au XVIIIᵉ siècle] doivent être considérées comme les manifestations parallèles d'un plus grand changement, cette vaste transformation de la civilisation occidentale depuis la Renaissance, qui a remplacé l'image d'un monde médiéval unifié par une autre, très différente » (*The*

Rise of the Novel, p. 31). Il est même imprudent de croire que l'idéologie dans le livre est une représentation fidèle de l'idéologie dans le monde environnant. « De toutes les façons, les plus grands auteurs sont rarement représentatifs de l'idéologie de leur temps; ils ont plutôt tendance à exposer ses contradictions internes ou à montrer que sa capacité de rendre compte des faits de l'expérience est très partielle » (*Conrad...*, p. 147). Mais, si l'auteur ne se contente pas de suivre les voix dominantes de son temps, il n'entre pas moins en discussion avec elles; leur connaissance est donc nécessaire à la compréhension de cet auteur.

Ton projet est de restituer le sens de l'œuvre tel qu'en lui-même, ni plus ni moins, en s'aidant pour cela d'une analyse détaillée du texte et d'une vaste enquête dans les contextes; comme tu le dis toi-même « le principal engagement doit se porter sur ce qu'on peut appeler l'imagination littérale : le commentaire analytique se restreint à ce que l'imagination peut découvrir par une lecture littérale de l'œuvre » (*Conrad...*, p. x). Un tel projet peut paraître démodé aujourd'hui, à une époque où le « relativisme sceptique » a fait de nouveaux grands pas en avant. Pour ma part, plutôt que d'en débattre la possibilité théorique, je me contente d'observer son existence de fait; que celui qui n'y croit pas lise les cent trente pages que tu as consacrées au *Cœur des ténèbres* de Conrad.

Mais un autre fait me frappe en même temps. L'idéal critique est donc la seule fidélité, la représentation exacte d'une partie du monde (constituée par les productions de l'esprit). Or, tu parles de ce projet à l'intérieur de tes livres, non à propos de ta démarche – tu es au contraire très avare de déclarations programmatiques –, mais à propos des écrivains qui en constituent la matière privilégiée : les réalistes. Bon nombre de ceux-ci refusent que leurs œuvres soient perçues en elles-mêmes : elles n'existent, pure transparence, que pour transmettre un segment du réel. « Leur prose a pour but exclusif ce que Locke définit comme la fin véritable du langage, " transmettre la connaissance des choses ", et leurs romans dans leur totalité ne prétendent pas être plus qu'une transcription de la vie réelle – pour parler comme Flaubert, " le réel écrit " » (*The Rise of the Novel*, p. 30). Ils cherchent à effacer toute trace d'un dessein qui leur serait propre : les faits rapportés ne sont pas là pour illustrer un quelconque propos de l'auteur, mais simplement parce qu'ils ont eu lieu. « Voici le genre de participation que provoque typiquement le roman : il nous fait sentir que nous sommes en contact, non avec la littérature, mais avec la matière crue de la vie elle-même, qui se reflète momentanément dans l'esprit des protagonistes » (*ibid.*, p. 193).

Tu n'es pas loin de reconnaître ce parallélisme toi-même. Analysant une nouvelle de Conrad, *The Shadow-Line (la Ligne d'ombre)*, tu essaies de dégager la position philosophique de Conrad, et tu écris : « Conrad ne se soucie pas de nous dire si les différents traits généraux identifiés par lui dans l'expérience du narrateur sont en eux-mêmes bons ou mauvais, mais seulement qu'ils sont là » (« Story and Idea in Conrad's *The Shadow-Line* », *in* M. Shorer, éd., *Modern British Fiction,* 1961, p. 134). Voici la position réaliste en littérature : on montre sans juger. Mais à la page immédiatement précédente, tu écris, à propos de ta propre analyse : « Quant à savoir si les idées que j'ai attribuées à *la Ligne d'ombre* sont vraies ou intéressantes, et si, et comment, Conrad les fait paraître telles, la chose est hors des limites de mon enquête présente » (*ibid.*, p. 133); inutile de dire que la question ne sera pas davantage traitée ailleurs. Nous sommes donc en face, cette fois-ci, de la position réaliste en critique : ici encore on se contente de montrer sans juger. Est-ce pour cela que, lorsque tu évoques, vingt ans après sa parution, ton livre *The Rise of the Novel,* tu le qualifies d' « œuvre de critique réaliste » (« The Realities of Realism », 1978, inédit, p. 27) et affirmes « la nécessité du réalisme en critique littéraire » (*ibid.*, p. 2) : non pas critique des œuvres réalistes mais bien critique réaliste des œuvres?

Les critiques se laissent décidément beaucoup influencer par le sujet de leurs recherches (justement sujet, et non objet) : Bakhtine par Dostoïevski, Frye par Blake, toi par les réalistes, tout comme Blanchot par Sade ou Jakobson par Khlebnikov, Mallarmé et Baudelaire... Les écoles critiques sont calquées sur les courants littéraires; c'est que l'activité critique est (au moins) double : description du monde d'une part (comme la science donc) et activité idéologique de l'autre (comme la littérature). Il n'y a rien à objecter à cela.

Mais le programme, explicite ou implicite, de la « critique réaliste » pose un autre problème. Lorsque la critique structurale présente son travail comme parfaitement objectif (ne dépendant que de son objet) et transparent, elle reste en accord avec sa conception de l'œuvre littéraire : celle-ci y est déjà tenue pour un artefact qui s'épuise dans son immanence, pour un objet qui ne s'explique que par lui-même. A l'immanence de la littérature correspond l'immanence de l'œuvre critique. Il n'en va pas de même, cependant, d'une critique sensible au contexte idéologique. En fait, celle-ci s'inscrit en faux contre le programme réaliste. L'écrivain réaliste prétend que son œuvre ne se justifie que par l'existence des choses qu'il représente; il ne se reconnaît aucun dessein, et partant aucune idéologie : il ne juge pas, il fait voir. La critique idéologique démolit cette prétention : loin d'être un simple reflet fidèle du réel, l'œuvre réaliste, nous montre-t-elle, est aussi le produit d'une idéologie (celle de l'auteur); d'où la pertinence de l'étude de ce contexte. Mais, ayant fait cette démonstration, la critique réaliste (sous-espèce de la critique idéologique), sans s'en apercevoir peut-être, endosse le credo fraîchement démoli et laisse entendre à son tour : l'œuvre que j'ai produite n'a comme justification que la vérité qu'elle contient; c'est une « tranche de vie », un « réel écrit », elle n'a ni dessein ni idéologie, elle se contente de représenter sans porter des jugements. Mais pourquoi ce qui était vrai de la littérature ne le serait-il pas de la critique? Comment se fait-il que l'emprise de l'idéologie, si forte là, s'arrête ici au seuil de l'entreprise?

A vrai dire, l'enfermement dans l'immanence ne peut être qu'un programme : le critique ne peut s'empêcher de juger; mais il y a une différence entre les jugements assumés par leur auteur et ceux qui passent en contrebande. Après avoir présenté l'éloge de la solitude fait par Defoe, tu ajoutes : « Dans son récit [...], Defoe néglige deux faits importants : la nature sociale de tout comportement économique et les effets psychologiques réels de la solitude » (*The Rise of the Novel,* p. 87); nous apprenons ainsi que tu portes sur ce sujet des jugements qui diffèrent de ceux de Defoe. Rapportant les idées de Conrad sur la fonction de la littérature, tu ne peux t'empêcher de commenter : « L'histoire nous a impitoyablement fourni les objections à ces hautes prétentions : à savoir, que la littérature ne fait pas vraiment ces choses; [...] et que la " société humaine " n'est en fait " unifiée " ni par la littérature, ni par quoi que ce soit d'autre » (*Conrad...*, p. 80). Lorsque Conrad fonde son pessimisme humain sur une fatalité géologique, tu lui rétorques : « On peut objecter logiquement à cette manière d'argumenter par trop générale et sommaire que la vie de la planète est après tout beaucoup plus longue que celle d'un homme et que Conrad confond vraiment deux ordres de grandeur temporelle complètement différents » (*ibid.*, p. 154). Voici que la critique cesse d'être pure présentation et devient, par le moyen du dialogue, recherche commune de la vérité; mais on aimerait pouvoir profiter plus directement de ta sagesse.

« La sagesse et la vérité » font en effet partie de ta « préoccupation patente » dans tes écrits (« The Realities of Realism », p. 18), comme elles le font d'une grande partie de la littérature réaliste elle-même. Il y a une tension propre au réalisme, entre son programme de pure présentation et sa propension naturelle au jugement, de sorte que tu te trouves amené, dans *The Rise of the Novel* et ailleurs, à distinguer entre deux espèces de réalisme : justement, réalisme de présentation et réalisme de jugement *(assessment)*. Il n'était question jusqu'à présent que de la première espèce. Or c'est la seconde qui se caractérise par une « entrée en contact avec toute la tradition des valeurs de la civilisation », par une « saisie véritable de la réalité humaine » et par un « sage jugement sur la vie » (*The Rise of the Novel*, p. 288). En réalité, tout auteur réaliste pratique simultanément les deux : « Il y a toujours une forme d'évaluation inextricablement liée à la présentation accomplie par un auteur. » La différence est seulement dans l'intention, mais ce « seulement » est énorme : pour Fielding, à la différence de Defoe, « les mots et les expressions évoquent intentionnellement non seulement l'événement narratif lui-même, mais aussi toute la perspective littéraire, historique et philosophique dans laquelle le lecteur doit placer le personnage ou l'action » (« Serious Reflections on *The Rise of the Novel* », *Novel*, 1968, p. 214).

Ainsi, ton œuvre – et avec elle toute la meilleure partie de ce qu'on appelle la critique historique – oscille entre le réalisme de présentation et le réalisme de jugement, entre le programme « immanentiste » et la pratique du dialogue, entre le souci de vérité et le souci de sagesse. J'aurais aimé qu'elle s'engage plus fermement dans la seconde voie; mais j'avoue que je suis également sensible à cet esprit qui préfère se maintenir en

retrait et qui te conduit à écrire (« The Realities of Realism »,
p. 27) : « Je ne puis croire que nous devons dans nos écrits
mettre noir sur blanc tous nos postulats. »

Bien à toi,

Tzvetan

Cher Tzvetan,

*Il n'y a rien qui me fasse autant plaisir, comme aux autres
auteurs je m'imagine, que d'être pris en considération par les
critiques – si ce n'est, peut-être, l'occasion de dire combien ces
critiques ont manqué à rendre justice à mes mérites. Bien sûr,
tu le fais, et tu fais plus : ta présentation de mon travail me
semble non seulement juste quant au fond ; elle est aussi une
synthèse conceptuelle très perspicace, qui agence les différents
aspects de ce que j'ai essayé de réaliser en tant que critique.
Néanmoins, il reste quelques autres petites choses qu'on
pourrait ajouter.*

*Ton titre a été pour moi presque un choc : serais-je un
« critique réaliste » tout court ? A vrai dire, on m'a déjà traité
de « réaliste sociologique » dans la presse, et ma réaction à
cela, comme je le disais dans la causerie que tu mentionnes, se
résumait à un bâillement suivi d'un appel au* nolo contendere.
*Entre parenthèses, cette causerie reste inédite parce que les
circonstances m'avaient contraint d'y assumer une position
critique générale, et que je ne voulais pas vraiment le faire. En
tous les cas, son titre complet était, traduit littéralement :
« Pieds plats et couvert d'œufs de mouches : les réalités du
réalisme » ; les deux expressions par lesquelles il commence
devaient indiquer ironiquement que j'étais conscient du caractère terre à terre et désuet de ma position critique.*

En quel sens ma « position critique » est-elle « réaliste » ?

*A mes yeux, l'étude de la relation entre le monde réel et
l'œuvre littéraire n'est pas la seule tâche appropriée de la
critique littéraire ; de sorte que je n'aurais pas aimé être rangé
dans la rubrique « critique mimétique », comme Auerbach l'a
été par certains. Je ne veux pas dire, bien entendu, que l'étude
des modes de représentation littéraire n'est pas une chose
utile ; l'exemple d'Auerbach lui-même démontre le contraire de
façon splendide (sans s'y épuiser pour autant). Et, naturelle-*

*ment, je n'accepte pas non plus la position absolument inverse :
le postulat selon lequel la relation entre l'œuvre littéraire et le
monde serait complètement dépourvue d'intérêt, avec cette
justification théorique que le monde est une entité entièrement
hétérogène, alors que la littérature ne l'est pas. Je suis
d'accord pour dire que la relation entre le monde, d'une part,
et, de l'autre, l'œuvre littéraire ou son langage ne peut être
analysée ou décrite de façon exhaustive. Avec quelques regrets,
j'accepte même l'idée que, si on veut trouver un système
critique scientifique, il peut être préférable, pour des raisons
de méthode, d'ignorer la relation entre l'œuvre et le monde.
Mais je ne puis accepter l'affirmation selon laquelle il n'y a
aucune relation entre l'œuvre et le monde, ou entre l'œuvre et
les mots dont nous nous servons pour la décrire; au contraire,
je crois qu'une grande partie de la meilleure critique littéraire
se penche précisément sur cette relation-là.*

*Évidemment, je reconnais que cette position crée quelques
difficultés méthodologiques, qui sont probablement insurmon-
tables dans certains domaines des études littéraires. Mais de
toutes les façons je m'en tiens, personnellement, aux autres
domaines; et je ne me sens nullement ébranlé, pour ce qui
concerne ces derniers en tous les cas, par la longue tradition de
philosophie occidentale qui va à l'encontre de l'image que le
sens commun se fait de la réalité. Pour quelles raisons? Très
simplement, parce que la critique littéraire est, dans le fond,
une activité sociale plutôt que philosophique, et que dans ce
domaine le scepticisme épistémologique n'a pas à être accepté,
ni même pris en considération. Ce que j'essaie de faire est,
dans une très large mesure, et pour utiliser l'expression de
I.A. Richards, de la « critique pratique ».*

*Je ne peux donc pas grogner trop fort contre le terme de
« réaliste »; mais je voudrais suggérer qu'on y ajoute les
adjectifs « historique » et « sociologique ». Tu reconnais la
tendance historique de mon travail lorsque tu décris la
manière dont la critique historique oscille toujours entre deux
soucis : celui de la vérité de « présentation » et celui de la
sagesse de jugement. Tu dis, et je suppose avec raison, que tu
aurais souhaité me voir un peu plus souvent du côté « sagesse »
de cette dichotomie, ce que j'ai appelé, dans* The Rise of the
Novel, *un « réalisme de jugement » (p. 12). Mais il y avait une*

réelle difficulté. La thèse fondamentale du livre reposait sur le grand sérieux – pour ne pas dire la grande naïveté – avec lequel Defoe comme Richardson traitent ce que j'ai appelé le « réalisme de présentation » ; cela explique ce qui est historiquement neuf (au sens de « sans précédent chronologique ») dans la « naissance du roman ». De ce point de vue en tous les cas, le « réalisme de jugement » était après tout un trait du récit que le roman, dans la mesure où il possédait, partageait avec des récits antérieurs et avec d'autres genres littéraires. Bien sûr, j'ai dû introduire le concept lui-même lorsque j'en suis venu à Fielding ; mais l'analyse que j'en donnais était, ou devait être, manifestement incomplète. Cependant, je n'avais aucune intention de sous-estimer l'importance du « réalisme de jugement » : à preuve, deux des dix chapitres du livre, ceux sur Moll Flanders *et* Clarissa. *Plutôt qu'historiques et sociologiques, ils sont critiques, et je crois que le style indique clairement que j'y livrais mon « jugement » personnel sur ces deux œuvres ; ou, en tous les cas, j'étais visiblement libre de pratiquer des analyses et de formuler des jugements sur la valeur morale des actions, des personnages ou des commentaires de l'auteur. Entre parenthèses, je soupçonne que l'une des raisons pour lesquelles de nombreux lecteurs ne se sont pas rendu compte à quel point je me trouve aux prises avec des jugements éthiques et sociaux est ce que tu appelles, de manière originale et je crois juste, ma* lingua franca *personnelle, qui sert de médiateur entre le langage « idéologique » et le langage « littéraire ».*

J'ai touché directement aux questions qui t'intéressent dans deux brefs textes dont tu ne t'es pas servi, « Literature and Society » et « On Not Attempting to Be a Piano » ; et je me permets de reprendre ici quelques idées qui s'y trouvent exprimées. Si l'on pense aux valeurs sociales et morales de la littérature, des grandes œuvres en particulier, on constate ceci : les œuvres de Sophocle et Shakespeare, Goethe et Tolstoï sont fondamentalement didactiques, mais seulement au sens où notre conscience sociale et morale est rendue plus forte par le fait de participer imaginairement aux œuvres des auteurs qui ont été au plus haut point sensibles aux réalités de l'expérience humaine. Or, ces réalités ont toujours eu une composante sociale très forte.

De ce point de vue, l'opposition littéraire entre, d'un côté, l'insistance des réalistes et des naturalistes sur la description littérale du monde social réel et, de l'autre, l'affirmation par les parnassiens et les symbolistes de l'autonomie artistique des créations de l'esprit, cette opposition apparaît comme rien moins qu'absolue. Car, même s'il y a une divergence séculaire entre ceux qui voient l'homme comme un être essentiellement social, et ceux qui insistent sur sa singularité individuelle, la force de la contradiction tend à s'estomper dès l'instant où l'écrivain approche sa plume du papier : comme l'a dit W. B. Yeats, « l'art est l'acte social d'un homme solitaire ».

Il est un élément de la critique qui n'est ni réaliste ni même social, mais qui est néanmoins, à sa façon, moral. La littérature est un acte social d'une espèce très particulière, qui nous rappelle que l'expression « littérature et société » peut être déroutante en ce qu'elle suggère une distinction plus absolue que celle qui existe en réalité. Ne serait-ce que pour la raison suivante : en un sens parfaitement valable, la littérature est sa propre société ; elle est le moyen le plus subtil et le plus durable que l'homme ait trouvé pour communiquer avec ses semblables ; l'une de ses fonctions, et non la moindre, est de donner à ceux qui ont appris sa langue quelque chose qu'aucune autre société n'a jamais pu leur offrir. A un niveau d'abstraction plutôt élevé, donc, j'admets que la littérature doit être considérée, au moins en partie, comme une activité autonome, plutôt que d'être réduite à des catégories mimétiques, référentielles, historiques ou sociales ; mais même dans ce cas elle reste esthétique et morale.

En fait, la tradition morale en général est établie depuis longtemps dans la critique anglaise, de Matthew Arnold à F. R. Leavis. Je me souviens d'avoir eu, lors de mon examen final de licence à Cambridge, à traiter le thème « Les moralistes anglais ». Cela sent le renfermé et la province, mais en fait la bibliographie commençait par Platon et Aristote, et se terminait par un riche choix de philosophes, de romanciers et de poètes modernes, tant anglais qu'européens. Il est caractéristique de nombreux critiques anglais, moi y compris, d'envisager les œuvres littéraires d'un point de vue résolument – même si ce n'est pas exclusivement – éthique ; un de mes amis américains prétendait que mon Conrad n'était qu'« en-

137

core du Watt sur la vie ». Je ne proteste pas particulièrement contre cette appréciation ironique : elle s'applique en fait bien à notre métier d'enseignants. Ce que nous demandent bon nombre de nos meilleurs étudiants est vraiment un système absolu de vérité; et la plupart des variantes les plus influentes de notre critique, depuis le formalisme jusqu'au structuralisme et à la sémiotique, ont en commun le postulat qu'il est de notre devoir d'extraire, à partir des caractéristiques contingentes et singulières de l'œuvre littéraire, une sorte de schéma universel immuable. Mais nous n'avons certainement pas besoin de Blake ou d'Arnold pour nous apprendre que la littérature tire sa force spécifique de son caractère concret. Que l'esprit, les sens, les sentiments de l'individu affrontent, non le modèle universel amené par le professeur ou l'étudiant, mais la résistance obstinée des particularités de l'autre – ou, pour utiliser l'expression de Matthew Arnold, des « non-nous » –, cela exerce l'imagination; et c'est en cela, principalement, que la lecture des œuvres littéraires a une valeur éducative. Comme l'a dit Coleridge dans sa onzième conférence sur Shakespeare, « l'imagination est le trait distinctf de l'homme en tant qu'être progressif ».

A propos, mon intérêt pour les valeurs sociales et morales n'avait pas de rapport avec la présence ou l'absence d'un projet didactique chez l'auteur. L'espèce d'imagination que devait avoir en vue Coleridge était celle qui, comme il l'écrivait, avait pour effet de « sortir l'esprit en dehors de l'être ». Telle était, selon Coleridge, la principale fonction éducative de la littérature; et je ne puis qu'exprimer mon accord avec lui. Les cours dans les facultés de lettres devraient être consacrés à la lecture – à la vraie lecture – de la littérature qui est vraiment littérature; et à l'écriture sur la littérature, une écriture qui, à sa modeste manière, essaie d'être littérature, ou en tous les cas de ne pas déshonorer celle-ci. Un tel programme, simple, peu ambitieux et même démodé, me semble être le résultat naturel des impératifs de notre sujet et des raisons pour lesquelles nous lui sommes dévoués. Une des raisons de ce dévouement a été suggérée il y a cent ans par Tourgueniev, dans un bref poème en prose où il exprime ses sentiments personnels à l'égard de sa propre langue; les enfants russes encore aujourd'hui, je crois, apprennent ce poème par cœur. Tourgue-

138

niev évoque la grandeur, la puissance, la vérité et la liberté de sa langue, et ajoute ensuite : « Sans toi, comment pourrait-on ne pas sombrer dans le désespoir, à la vue de tout ce qui se passe autour de nous? Mais il est impossible de croire qu'une telle langue n'a pas été donnée à un grand peuple. »

Deux choses encore. Tu cites cette phrase : « Je ne puis croire que nous devons dans nos écrits mettre noir sur blanc tous nos postulats. » Cette réticence à exprimer mes prémisses me vient en partie de mon empirisme, ou de mon scepticisme général devant les méthodes philosophiques; et en partie de l'idée que je me fais de la fonction de la critique. Celle-ci doit rester relativement humble : Sartre disait que L'Étranger était une traduction à partir du silence originel; j'oserai ajouter que la bonne critique n'est qu'une paraphrase de ce que d'autres ont déjà traduit – mais une paraphrase qui est à la fois un éclaircissement, une réponse et, sans jouer sur les mots, une responsabilité morale assumée. Elle doit rester humble, également, dans le choix des thèmes qu'elle se permet d'aborder. Cette réticence critique n'est peut-être que le reflet de l'idée que se font les Anglais sur les bonnes manières dans le domaine de la parole publique; mais il y a des avantages incontestables, par exemple, à ne pas parler directement de la vérité ou de la valeur d'une œuvre littéraire; l'un d'entre eux, c'est que cela laisse plus de choses au lecteur à accomplir lui-même. Je crois que je ne peux m'exprimer sur les valeurs littéraires comme telles que si je postule une communauté de croyance avec mon lecteur.

Je ne dis pas cela pour nier ton constat selon lequel mon idée de la critique serait trop « auto-suffisante »; j'ai certainement tendance à circonscrire le lieu de rencontre avec mon lecteur de manière plus étroite que beaucoup d'autres critiques. C'est en partie l'effet de mon désir de réduire la matière théorique au minimum; et, si je puis me permettre une note personnelle, le résultat paradoxal de ce choix est que, alors que je suis assez bien connu par de nombreux lecteurs de critique, je ne suis même pas considéré comme un critique par tous mes collègues. Un spécialiste de Conrad, Andrzej Busza, était perplexe devant ce fait et m'a interrogé une fois sur l'antipathie que suscitait ma « méthode » chez certains autres critiques. J'ai répondu : « Le bon sens n'a jamais fait école. »

139

Je pourrais éclairer ma position par une illustration. Il y a quelques années, j'ai dû essuyer des objections sérieuses de la part de mon éditeur américain : il ne voulait pas publier mon manuscrit sur Conrad. Je lui ai écrit une lettre, qui a contribué à modifier sa décision, dont voici un extrait : « Le Comité de lecture me demande de justifier pleinement mon travail critique sur Conrad. Je pourrais, sans trop de difficultés, ajouter un appendice à ma préface (on en trouve des exemples dans la plupart des thèses d'étudiants). Mais il aurait été nécessairement abstrait et simpliste, et il aurait suggéré que je me tiens moi-même en haute estime ; par là, il aurait écarté le livre de la sphère littéraire particulière à laquelle je le destine. Si j'avais commencé le livre par une telle déclaration, j'aurais immédiatement ennuyé, offensé ou découragé nombre de mes lecteurs, car j'aurais eu l'air de dire : "Voilà ma position sur les divers principes que nous autres critiques débattons depuis des siècles. Faites très attention car c'est le prix qu'il vous faut payer pour être admis dans le livre qui suit." Mais en fait je ne pense pas que ce soit le cas, et je ne crois pas que quiconque ait le droit d'énoncer un principe général selon lequel tout livre de critique doit contenir (comme me le demandait la lettre de mon éditeur) "une franche déclaration ou une explication des raisons d'être de sa méthode critique". Je suis plutôt du côté de Samuel Johnson, qui rejetait "l'hypocrisie de ceux qui jugent selon des principes plutôt que par perception". »

J'ai toujours trouvé que mon attitude à l'égard de la littérature, et du contexte institutionnel avec lequel elle coexiste, était bien plus simple, bien plus intuitive et bien moins susceptible de discussion ou de formulation théorique que celle de la plupart de mes collègues. Si je cherche une image qui permette de surmonter la séparation du privé et du public, je dois revenir plus de trois décennies en arrière, sur la rive gauche de la Seine, où je me suis trouvé en 1946 après une absence de sept ans passés dans l'armée. Dans les conversations que j'ai entendues alors, quatre nouveaux mots me frappèrent. Je me suis vite lassé des trois premiers : engagé; authentique; absurde; *mais le quatrième, les choses, paraissait un peu moins couvert d'œufs de mouches. Je me suis mis à lire les poèmes en prose de Francis Ponge dans* le Parti pris des choses, *qui étaient justement sur « les choses », avec* un intérêt énorme. Je me souviens plus particulièrement d'un article de journal à propos d'une causerie de Ponge, intitulée Tentative orale (1947). Cette « tentative » évoquait élégamment sa désapprobation des hyperboles courantes au sujet de la littérature, son écœurement devant les propositions théoriques générales; il disait aussi comment dans ses propres écrits, se trouvant dans l'impossibilité de traduire en mots les grands sujets littéraires, il avait décidé, au lieu de cela, tel un homme au bord du précipice, d'attacher son regard à l'objet immédiat, l'arbre, la balustrade, le pas suivant, et de chercher à le mettre en mots. C'était une merveilleuse anticonférence, en particulier sa fin. « Et nous n'avons pas eu une conférence? », lança-t-il. « C'est bien possible. Mais pourquoi l'avoir demandée à ce que l'on appelle communément un poète? » Alors il conclut : « Chère table, adieu! » Sur ce, Ponge se pencha sur sa table et l'embrassa; puis il expliqua : « Voyez-vous, si je l'aime, c'est que rien en elle ne permet de croire qu'elle se prenne pour un piano. »

J'aurais aimé que mon activité de critique et d'enseignant soit aussi simple et en même temps aussi complète que le geste de Ponge. Elle devrait comporter les mêmes quatre composantes nécessaires : une reconnaissance intellectuelle de ce que je scrute, modestement mais indirectement; une appréciation esthétique de l'objet de mon attention pour ce qu'il est vraiment; un engagement direct de mes sentiments à l'égard de cet objet; et enfin, peut-être comme en passant, une tentative pour exprimer en mots ces trois premières choses. Le projet collectif des étudiants et des enseignants dans un département de littérature devrait, je pense, inclure une prise en considération de ces quatre composantes. Sa raison d'être suffisante serait simplement que, comme le dit Ponge dans « Notes pour un coquillage », la parole, et les monuments créés par son intermédiaire, sont les choses les mieux adaptées au mollusque humain, et lui permettent d'éprouver et d'exprimer sa fraternité avec les objets de son monde.

A quoi je peux seulement ajouter que je n'ai jamais essayé d'être un piano.

Ton Ian

La littérature comme fait et valeur
(Entretien avec Paul Bénichou)

J'ai « rencontré » l'œuvre de Paul Bénichou en travaillant sur l'histoire des idéologies en France : les commentaires qu'il a consacrés aux auteurs que je lisais, La Rochefoucauld, Rousseau, Constant, m'ont chaque fois paru particulièrement judicieux. J'ai pris alors connaissance de ses grands ouvrages, *Morales du grand siècle, le Sacre de l'écrivain, le Temps des prophètes,* et je me suis aperçu que la vie littéraire et intellectuelle française entre le XVIIᵉ et le XIXᵉ siècle disposait en sa personne d'un historien de qualité peu commune, dont les travaux méritaient d'être connus non seulement comme introduction irremplaçable à cette matière, mais aussi en tant qu'analyses historiques exemplaires. Ce qui m'attirait en plus était que tout souci de « pureté » lui était étranger (aucune tentation, chez lui, de réduire la littérature à la « poésie pure ») : dans cette œuvre critique, la littérature n'était que le centre d'un domaine plus vaste formé par la parole publique.
A quoi fallait-il attribuer cette justesse dans l'interprétation? Bien sûr, l'information, chez Bénichou, est abondante et sûre : il ne s'est pas contenté des grandes œuvres, il a lu aussi les autres, et même la presse de l'époque; mais cela ne suffit évidemment pas; il serait même superflu d'évoquer cette condition préliminaire si on n'avait pas tendance à l'oublier ici et là. Il m'a semblé que le « secret » de Bénichou était ailleurs : dans un souci de vérité qui anime ses analyses. La vérité, non plus seulement au sens d'information exacte, mais comme horizon d'une recherche commune à l'écrivain et au critique. Le meilleur moyen de découvrir l' « intention » de l'écrivain est d'accepter ce rôle d'interlocuteur (et non de s'en tenir à la fidèle reconstitution – qui par là même cesse d'être fidèle), de se prononcer donc sur l'éventuelle justesse des propos tenus par

l'écrivain; et par là d'inviter le lecteur à s'engager à son tour dans la quête de la vérité, plutôt que de lui présenter un objet bien arrangé, destiné à provoquer le silence admiratif.

Je dois préciser, pour être complet, que, si l'œuvre de Bénichou me paraît exemplaire à bien des égards, elle suscite en moi aussi quelques réserves, dont la plus importante, et la seule à soulever une question de principe, se forme devant le peu d'attention qu'il accorde à la structure des œuvres mêmes, à leurs modalités rhétoriques, narratives, génériques (mais il m'a répondu, au cours de notre entretien, comme je m'y attendais du reste, qu'il ne s'agissait pas vraiment d'une question de principe, mais d'un penchant et d'un choix personnels, sur lesquels il n'y a pas lieu d'épiloguer).

Les idées générales de Bénichou sur la littérature et la critique n'occupent qu'une place infime dans une œuvre riche d'une demi-douzaine de volumes. C'est pourquoi j'ai cru utile d'analyser sa démarche, tant à travers ses déclarations de principe que ses études concrètes. Mais un doute a surgi en moi quant à la forme de cette analyse. En parlant de la critique, et de sa propre critique, Bénichou dit : « Si j'ose parfois déceler dans les œuvres ce que les auteurs peut-être n'y ont pas mis à bon escient, c'est avec l'espoir qu'ils accepteraient de l'y découvrir, s'ils étaient présents » (*l'Écrivain et ses Travaux,* p. XIV). J'ai décidé de suivre son précepte et de lui soumettre mon interprétation de sa pensée, pour qu'il puisse exprimer son accord ou son désaccord et répondre aux questions que cette lecture avait fait naître en moi. Le plus souvent, l'auteur sur lequel travaille le critique est depuis longtemps inaccessible à ce genre de demande; j'avais la chance de vivre en même temps et dans le même lieu que mon auteur.

Nous avons fait connaissance par une froide matinée d'hiver, au quartier Latin. Paul Bénichou a accepté l'idée de l'entretien; nous avons élaboré ensemble, et sans vouloir atténuer nos divergences, le texte qui suit. Une certaine idée de la critique est donc seulement ce sur quoi il porte mais aussi ce qu'il illustre.

LA LITTÉRATURE

Définition

TZVETAN TODOROV : Pour définir l'objet de votre travail, vous avez rejeté les deux définitions les plus influentes de la littérature : la « classique », plus exactement celle d'Aristote, selon laquelle la poésie est une représentation par le langage, alors que la peinture est une représentation par l'image, etc. ; et la « romantique », selon laquelle la poésie est un usage intransitif du langage, un art du langage. Vous êtes parti d'une autre conception de la littérature, bien plus large, où rien ne la sépare brutalement de « tout ce qui s'écrit pour le public » (*l'Écrivain..., p.* x). Ce qui frappe d'abord dans votre approche, c'est qu'elle part non de la nature du produit mais de son usage (un journal intime, disait Tynianov, relève de la littérature à certaines époques et ne le fait pas à d'autres). (Mais n'existe-t-il aucune affinité élective entre fonction et structure ?) Et le résultat est là : vous avez traité, dans vos livres, aussi bien de Mallarmé que de poésie populaire, de Corneille que de Pascal.

Ce que vous reprochez aux définitions antérieures de la littérature, c'est qu'elles réduisent celle-ci à un art, c'est-à-dire à un objet de pure contemplation esthétique. « La littérature [...] ne saurait se résoudre en simples " façons de parler " » (*Morales du grand siècle,* 1948, rééd. 1980, p. 273), « les fictions littéraires [sont] loin d'être de simples divertissements de la vie civilisée » (*l'Écrivain..., p.* x). (Mais est-ce bien de l'art qu'il s'agit ici ou seulement de la conception romantique de l'art ? La peinture n'est-elle qu'art, en ce sens étroit du mot ?) La littérature est art mais elle est aussi autre chose, par quoi elle s'apparente, non à la musique et à la danse, mais au discours de l'histoire, de la politique ou de la philosophie. Elle « engage [...] le sentiment et la représentation » (*Morales..., p.* 273), elle est une façon « de se prononcer sur le monde et la condition humaine » (*l'Écrivain..., p.* x); « un écrivain d'ordinaire accrédite des valeurs » (*ibid., p.* xv). La littérature est un moyen de prendre position par rapport aux valeurs de la société; disons d'un mot qu'elle est *idéologie.* Toute littérature a toujours été les deux, art et idéologie, et on chercherait en vain des substances pures : telle est par exemple la leçon du romantisme. « Les auteurs de systèmes sont [...] les frères des poètes. On ne peut ignorer cette fraternité, moins encore la déplorer, en imaginant un pur romantisme, qui aurait épargné à l'art un mélange adultère d'idéologie : ce ne serait plus le romantisme mais quelque chose d'autre, qu'on ne voit nulle part » (*le Temps des prophètes*, 1977, p. 566).

A supposer que les choses soient ainsi, ne pourrait-on pas définir la littérature comme l'intersection du discours public (et donc idéologique) et de l'art? Encore qu'il faille s'entendre sur le sens du mot « art » lui-même.

PAUL BÉNICHOU : *Je voudrais faire seulement quelques remarques sur ce problème de définition. Je ne suis pas, en général, et dans nos études en particulier, trop partisan des définitions. Surtout, définir la littérature elle-même me paraît un comble de difficulté. Toute définition, dans un tel cas, risque d'être en deçà ou au-delà de son objet. Celle que vous citez au début, et qui appelle littérature « tout ce qui s'écrit pour le public », est démesurée; elle n'a qu'un mérite, c'est d'attirer l'attention sur l'impossibilité d'une définition à contours précis. Celle que vous signalez ensuite, et qui fait de la littérature un « art du langage », n'évoque qu'un aspect très restreint de la chose définie. On peut faire le même reproche, à un moindre degré, à celle que vous proposez finalement : rencontre du discours idéologique et de l'art; ne donnant pas la moindre idée, par exemple, de ce que peut être une pièce de théâtre ou un poème, elle est pour ainsi dire fantomatique. Elle a l'avantage, cependant, de poser deux des réalités qui sont à peu près nécessairement présentes dans toute œuvre littéraire, à condition de dépouiller la notion d'idéologie de toute nuance péjorative. Il est important de le souligner, parce qu'une telle nuance a été attachée au mot idéologie à son origine : « pensée creuse et nuisible » dans le langage de la contre-révolution; puis, dans le langage marxiste, « pensée serve des intérêts matériels sous une fausse apparence d'autonomie ». Au contraire, l' « idéologie », en tant qu'activité de l'esprit posant des valeurs, doit être envisagée dans la plénitude de son rôle, comme une des facultés fondamentales de l'humanité.*

Art et idéologie

T.T. : Si l'on accepte (ne serait-ce que comme une première approximation) une telle définition de la littérature, on peut s'attendre à ce que les aspects « idéologique » et « artistique » de l'œuvre soient traités de façon équilibrée. Tel n'est cependant pas le cas, car, dans vos livres (en réaction à une situation antérieure?), « la littérature est considérée principalement comme porteuse d'idées » (*le Sacre de l'écrivain*, 1973, p. 18), et vous déclarez ne vous intéresser qu'aux « idées que la littérature véhicule » (*ibid.*, p. 466). De fait, lorsque vous analysez, par exemple dans *Morales du grand siècle*, l'idéologie d'un Corneille, vous la tirez entièrement de l'intrigue de ses pièces, des personnages et de leurs déclarations, sans jamais faire la moindre remarque sur le genre, la composition, le style, la métrique, etc. Ces éléments de l'œuvre sont-ils accidentels et arbitraires? Ou bien, tout en obéissant à une organisation qui leur est propre, échappent-ils à l'emprise idéologique? Vous n'analysez jamais non plus une œuvre littéraire dans son entier : est-ce à dire que ce niveau de structuration, à mi-chemin entre l'élément isolé (une réplique, un épisode, un thème) et l'univers global d'un écrivain, est dépourvu de pertinence pour l'identification de sa pensée?

Il est vrai que vous apportez quelques précisions sur la nature des « idées », qui en font autre chose que de pures idées. Ce qui vous intéresse en fait, c'est non l'idée telle qu'on peut la trouver dans quelque ouvrage théorique, mais cette même idée compromise, si l'on peut dire, dans une existence individuelle, dans certaines formes particulières, dans l'attachement à certaines valeurs. C'était déjà la position exprimée et illustrée dans *Morales du grand siècle* : « la vraie significaton d'une pensée réside dans l'intention humaine qui l'inspire, dans la conduite à laquelle elle aboutit, dans la nature des valeurs qu'elle préconise ou qu'elle condamne, bien plus que dans son énoncé spéculatif. [...] Ce qu'il faut chercher pour donner un sens au débat, et quelque capacité humaine aux pensées qui s'y sont heurtées, c'est l'intérêt profond, la *passion* qui l'a réellement dominé » (p. 124-125).

Cependant, lorsque vous analysez un auteur comme Mallarmé, vous semblez adopter une attitude différente. Vous établissez ici la solidarité entre technique poétique et pensée, entre « forme » et « fond » : « Il n'est pas de solution de continuité entre le " débat de grammairien " que suscite la syntaxe de Mallarmé selon sa propre expression et la méditation à laquelle invite, de plus en plus loin et secrètement, le " miroitement en dessous ", que Mallarmé avoue " peu séparable de la surface concédée à la routine " » (*l'Écrivain...*, p. 76). Vous retrouverez la même position dans une étude plus récente (« Poétique et métaphysique dans trois sonnets de Mallarmé », in *la Passion de la raison*, 1983), où vous recherchez « les motivations profondes de l'obscurité mallarméenne » (p. 415) et où, après avoir analysé le détail même de la construction d'un poème, vous concluez : « L'étrange structure du sonnet confirme, d'une certaine façon, la métaphysique qui y est professée. [...] En somme, la technique même de Mallarmé met ici en forme sa négation de l'âme » (p. 414).

Cette différence de traitement est-elle voulue?

P.B. : *Je ne crois pas avoir jamais pensé qu'en littérature l'idéologie méritait plus d'attention que l'art. Dans le passage même que vous citez, je dis : « [la perspective] où je me suis placé* semble donner surtout sur les idées que la littérature véhicule. » *Les mots que je souligne faisaient entendre que je ne définissais pas une critique idéale, mais un choix personnel. Et je développais ensuite longuement l'idée d'une nécessaire conjonction, en littérature, des idées et des formes sensibles. Le fait que je me sois principalement adonné à ce que l'on appelle l' « histoire des idées » répond à ma disposition d'esprit et aux préférences de ma curiosité, c'est tout. D'ailleurs, il me semble que l'expression « histoire des idées » rend mal ce que j'ai essayé de faire : car les* idées, *qui sont abstraites par définition, cessent de l'être quand elles s'incarnent dans une littérature, et se présentent avec un corps.*

Il est vrai que je serais porté à croire, en général, à un primat relatif de la pensée sur les formes, dans la mesure où c'est une intention idéologique plus ou moins claire qui me semble mettre en œuvre le plus souvent les matériaux sensibles de l'œuvre. Mais je n'exclus nullement que le contraire puisse se produire. Ce débat n'est pas fondamental, ne portant que sur une proportion d'influence, qui a peu de chances d'être fixe, entre deux composantes également nécessaires.

Vous dites que je n'analyse jamais l'organisation d'une œuvre considérée en elle-même. Je l'ai fait pourtant, par exemple pour la Phèdre de Racine (dans mon recueil l'Écrivain et ses Travaux). Je considérais, il est vrai, les personnages de cette tragédie dans le contexte général, folklorique et littéraire, des versions antérieures de la fable qui en est le sujet. Mais cette recherche préalable m'avait paru indispensable pour éclairer la fabrication et la constitution de la Phèdre racinienne, dans laquelle je voulais montrer l'étroite solidarité d'une vision du monde avec l'agencement des matériaux formels. Je suis allé plus loin dans un autre cas, celui de la Rodogune de Corneille. J'ai essayé de montrer comment un projet de scénario, adopté par l'auteur de cette tragédie dans une intention de prouesse formelle et de paradoxe, avait orienté dans un sens original la conception des caractères et la signification même du drame. Cette étude, qui a fait l'objet en 1967 d'une conférence à l'École normale, est restée jusqu'à ce jour inédite, et vous n'en pouviez tenir compte. Je n'ai malheureusement pas eu le loisir de me consacrer davantage à des études de cette sorte.

En ce qui concerne les poètes, la question ne se présente pas pour moi différemment. Pour les romantiques, j'ai souvent envisagé la pensée qui ressort de l'ensemble de leur œuvre plutôt que la constitution de tel ou tel de leurs poèmes; et je prépare, aujourd'hui encore, un ensemble d'études de ce genre. Mais il n'y a pas de pensée poétique, si généralement qu'on l'envisage, qui ne soit liée à des réalités formelles. S'il s'agit de l'étude d'un poème particulier, on ne peut éviter de considérer son organisation verbale. C'est vrai pour tout poète, et Mallarmé n'est pas une exception; mais, ayant fait de sa technique un écran qu'il dresse entre les sens de ses poèmes et le lecteur, il oblige plus impérieusement qu'un autre à pénétrer cette technique – vocabulaire, syntaxe, métaphores, ménagés de façon volontairement atypique et requérant l'examen. J'ai fait toute ma vie, çà et là dans des articles, et avec mes étudiants, des études de poèmes, de tragédies, de romans. Mais j'ai plutôt choisi d'écrire des livres sur des écrivains, voire des groupes d'écrivains, considérés dans l'ensemble de leurs *œuvres. Un tel choix ne permet, sur le plan des procédés techniques et des formes, que des observations générales, que je ne crois pas avoir négligé de faire quand elles ne me semblaient pas aller de soi.*

Encore un mot. J'ai consacré beaucoup de temps à des études de poésie orale (traditionnelle ou « folklorique ») française et espagnole, et dans ce domaine je professe – à tort ou à raison – que l'idéologie est de peu d'intérêt. Cette poésie (romancero hispanique, chanson française de tradition orale) transporte, du Moyen Age à nos jours, des notions et des types qui ont joui d'un crédit continu; les variations que lui fait subir, au cours des siècles, l'évolution historico-sociale sont trop évidentes et ne surprennent pas; elles sont peu de chose au regard de la permanence des sujets traités, des schémas d'affabulation, et des jugements qui accompagnent plus ou moins explicitement les diverses situations d'amour, de trahison, d'adultère, de meurtre, de guerre. En revanche, cette poésie est du plus haut intérêt par les procédés de création formelle auxquels elle nous fait assister : sous l'effet du jeu infini et renouvelé des variantes, on voit l'ordre du récit, l'organisation des incidents, le détail des traits et des expressions se modifier, se diversifier, tantôt altérant ou ruinant le poème, tantôt y introduisant des beautés et des horizons poétiques nouveaux. J'ai appris dans cette étude toute l'importance littéraire du matériau, de son existence relativement indépendante et de sa disposition. Et il est vrai que cette disposition, pour une grande part, s'organise et se réorganise seule, surtout en poésie orale, par le jeu automatique des associations. Cependant, il faut bien convenir que la conscience des transmetteurs garde le contrôle de ce qui a lieu hors d'elle, et qui se déferait sans ses interventions. Il ne s'agit pas ici de projet idéologique original, mais de cette conscience artisanale qui vise en toute poésie à la pertinence et à la beauté, et qui est aussi bien requise des poètes penseurs de la haute littérature.

Déterminisme et liberté

T.T. : Vous avez fait une œuvre d'historien, ce qui implique que vous croyez à l'existence d'une forte relation entre une création littéraire et son temps; vous vous êtes toujours intéressé au rapport entre la littérature et la société. Mais votre position là-dessus me semble assez complexe, et elle demande à être présentée avec quelque attention.

Je commencerai en isolant d'abord une position que j'appellerai « première », moins parce qu'elle se trouve attestée particulièrement dans votre premier livre que parce que, dans sa simplicité, elle forme un point de départ commode. Cette position consiste en une adhésion sans réserves à l'idée d'un déterminisme social concernant les œuvres littéraires. Vous écrivez dans *Morales du grand siècle* : « La pensée morale, consciente ou confuse, surtout celle qui se manifeste dans des ouvrages d'une aussi grande diffusion que les ouvrages littéraires, a ses racines toutes naturelles, et son terrain d'action, dans la vie des hommes et dans leurs relations »; et vous définissez ainsi votre projet : « Percevoir quelles formes diverses revêtait cette connexion » (p. 7). Les métaphores mêmes dont vous vous servez ici sont révélatrices : la vie des hommes forme les racines, leurs œuvres en sont la conséquence; la littérature est comme le vêtement d'un corps qu'elle cache et révèle à la fois.

Vos analyses dans ce livre obéissent souvent à ce principe. Par exemple, Montesquieu y est décrit comme un « interprète des traditions aristocratiques », et vous ajoutez en note : « Ce qui ressort de toute son œuvre, on pourrait presque dire de chaque ligne de son œuvre » (p. 82); on dirait ici que le « presque » vient rattraper *in extremis* le caractère catégorique de « toute » et de « chaque ». De même pour Racine : « Il ne pouvait guère en être autrement à l'époque où elles [ses tragédies] ont paru » (p. 247). Du reste, tout le vocabulaire du livre atteste cette adhésion à l'idée d'un déterminisme rigoureux et donc, à la surface, d'un parallélisme entre littérature et société : la littérature « baigne » dans l'idéologie sociale, qui la « remplit » à son tour (p. 17), l'une « reproduit » l'autre (p. 20), ou alors elle l' « incarne » (p. 42); l'une « évoque » l'autre (p. 43), est « à l'image » de l'autre (p. 44), est l' « empreinte » de l'autre (p. 81-82), elle « traduisait » l'autre (p. 84), elle l' « exprime » (p. 94), etc.

Cette « première » position sera cependant modifiée par divers « tempéraments » qui finissent par vous faire assumer une position qualitativement différente, et qui tous apparaissent déjà dans votre premier ouvrage.

En premier lieu, dès *Morales du grand siècle,* vous vous apercevez, après avoir affirmé l'existence d'une relation, que « les exemples contraires ne manquent pas » (p. 89). Des stratégies conscientes viennent démentir nos attentes fondées sur le déterminisme social : Corneille sait pratiquer « la précaution de la dédicace » (p. 101), et l'être humain lui-même n'est pas cohérent et homogène car il obéit à des déterminismes multiples, ce qui, en fin de compte, rend incertain le résultat de chaque déterminisme particulier : « Corneille, flatteur par entraînement et par métier, se retrouve toujours auprès de Corneille, ennemi de la tyrannie par penchant et par éloquence » (p. 116). Vous observez aussi que le déterminisme s'exerce plus fortement pour certaines œuvres que pour d'autres : « La tragédie de Racine est moins représentative peut-être que celle de Corneille, en ce sens qu'elle est moins spontanément, moins directement, l'expression d'un milieu social et d'une tendance morale » (p. 254). Vous rendez compte de ces exceptions et de ces degrés de « représentativité », en substituant l'idée de condition (favorable) à celle de cause. « L'actualité n'agit pas sur les œuvres littéraires par le détail précis des événements, mais par les conditions générales et par l'atmosphère » (p. 104); « il travaillait dans les limites que son temps lui traçait » (p. 245); « les conditions qui l'avaient rendue possible... » (p. 273).

P.B. : *Vous avez raison, en ce sens que je n'ai jamais été déterministe au sens propre de ce mot, qui implique un enchaînement nécessaire de causes et d'effets, supposant l'existence de lois. Je ne vois d'ailleurs pas qu'aucune des disciplines que nous appelons « sciences humaines » soit en état d'établir de telles lois. Si j'ai, après beaucoup d'autres, cru constater une action de la société sur la littérature, c'est sous forme de relations causales plus ou moins vraisemblables, dont le degré d'évidence, dans les cas particuliers que sont les œuvres et les auteurs, défie la stricte démonstration et la mesure exacte. Le déterminisme, qui est un des postulats de la recherche humaine dans le monde naturel, postulat indiscutablement fécond dans ce domaine, est apparemment inapplicable, dans sa rigueur, à l'enquête de l'homme sur ses ouvrages.*

Mon premier livre, que vous citez surtout à l'appui de mon « déterminisme », a été écrit dans les années qui ont précédé la dernière guerre, et je veux bien admettre que j'avais alors de la relation société-littérature une idée plus naïve qu'aujourd'hui ; disons que j'étais en ce temps-là plus « marxiste » qu'à présent, quoique j'aie instinctivement évité de faire dans mon livre une profession de foi expresse dans ce sens.

T.T. : A côté de cette détermination de la littérature par son contexte social, donc un contexte à la fois synchronique et hétérogène, vous vous êtes attaché à décrire, dans quelques autres ouvrages, une détermination de type diachronique et homogène. Je pense ici, en premier lieu, à vos études sur les relations entre une chanson populaire et ses versions antérieures (que vous venez de rappeler). Mais vous ne vous êtes pas limité à ce terrain traditionnellement circonscrit ; vous avez voulu étendre les méthodes du folkloriste à la « grande » littérature, « à l'ensemble des thèmes, motifs, schémas littéraires usités dans la tradition de culture à laquelle appartient l'auteur » (*l'Écrivain...*, p. 167), et vous avez illustré ce programme par l'étude de quelques sujets traditionnels de la tragédie. Enfin, dans votre travail d'histoire des idées, conduit par exemple dans *le Temps des prophètes,* vous semblez adopter une optique comparable : chaque idée apparaît comme la transformation d'une autre, formulée antérieurement ; de nouveau, la pression exercée par la tradition vient concurrencer celle que produit le contexte social immédiat.

P.B. : *Naturellement, la causalité sociale n'est pas seule à agir sur les créations littéraires, en les incitant à répondre aux besoins et aux problèmes d'une époque donnée ; la littérature n'existe que dans des formes qui ont leur tradition et leur logique de développement, relativement autonome. Ce point me semble aller de soi, lui aussi. Et les idées, à leur manière, sont aussi des formes transmises.*

T.T. : Si ces deux premiers « tempéraments » peuvent être perçus comme des précisions de l'hypothèse initiale qui la

153

rendent plus souple et plus complexe sans pour autant la renier, il n'en va pas ainsi de certaines autres, qui en modifient la substance même. Dans *Morales du grand siècle* déjà, vous constatez l'impossibilité de réduire les valeurs aux faits, et donc de déduire l'idéal d'une société à partir de sa réalité ; or, c'est cet idéal qu'on retrouve en littérature plutôt que la société elle-même. « La société est le fait de l'homme réel, et la littérature le royaume de l'homme idéal, et [...] l'un ne recouvre jamais, ne peut jamais recouvrir l'autre » (p. 52). On se trompe de chemin, en études littéraires, lorsqu'on s'intéresse à ce que vous appelez « la vie des hommes et leurs relations », si l'on entend par là une réalité économique et sociale. « La critique sociologique [...] perd son temps à supputer une influence des réalités économiques sur la littérature. [...] Ce sont les passions des hommes vivant en société et des groupes qu'ils composent qui fournissent à la littérature ses tâches et son aliment. [...] C'est cette psychologie, en même temps et irrésistiblement idéologie, c'est-à-dire constitution de valeurs et complexe de jugements, qui porte les écrivains » (*le Sacre...*, p. 465). La relation pertinente n'est donc pas entre société et littérature mais entre idéologie sociale et littérature.

P.B. : *Il s'agit ici d'une évidence moins souvent formulée, mais qui ne me paraît pas moindre. Si une société agit sur la littérature, c'est par l'influence qu'exercent sur les auteurs la psychologie collective et l'idéologie diffuse de leurs contemporains, les « mentalités », comme on dit aujourd'hui ; ce n'est pas directement par les formes de la production et de la vie économique. La littérature se crée sur des traditions morales, des passions anciennes et nouvelles, des besoins et des idéaux. L'économie et la technique, si elles agissent sur les lettres, ne peuvent le faire que de façon médiate et plus ou moins lointaine, en agissant sur l'esprit public. Pour les études littéraires, ces enchaînements sont à l'arrière-plan. Nous essayons de ne pas ignorer ce que l'histoire y découvre, et d'en tirer profit. Mais notre domaine est, pour ainsi dire, en aval : c'est celui des idées, des valeurs, des formes et des œuvres.*

T.T. : Mais, cette idéologie, comment en prend-on connaissance ? En lisant les écrits philosophiques, politiques, scientifiques et (pourquoi pas?) littéraires d'une époque. Plus même : ce sont précisément les œuvres littéraires qui présentent, souvent, le tableau le plus riche et nuancé de l'idéologie; de sorte que l'enseignement reçu d'autres sources est finalement de moindre importance que celui qu'on trouve dans la littérature même. « Nous sommes donc obligés [...] de nous en tenir à ce qui a été écrit et publié dans cet ordre de choses, c'est-à-dire de prendre la littérature elle-même comme témoin principal des suggestions qu'elle a reçues de l'esprit public, et de former nos intuitions d'après le plus grand nombre possible de ces témoignages. [...] Ces moyens mettent la critique littéraire en état d'apprendre aux historiens des sociétés au moins autant, sinon plus, qu'elle ne peut recevoir d'eux » (*ibid.*, p. 465-466). Le changement est de taille, puisqu'il ne s'agit plus de mettre en relation de détermination, serait-elle nuancée, deux entités, « idéologie sociale » (ou « esprit public ») et « littérature », mais d'en analyser une seule, l'idéologie-de-la-littérature; renversement peut-être comparable à celui qui s'est opéré dans l'œuvre de Dumézil qui, si je comprends bien, a cessé de chercher les racines ou les projections de l'idéologie trifonctionnelle dans telle ou telle société, et s'est contenté de décrire cette idéologie en tant que telle. Ce qui ne veut pas dire, bien entendu, qu'on renonce à reconnaître l'aspect idéologique de la littérature.

P.B. : *Il y aurait là en effet un véritable cercle vicieux, si je pouvais m'imaginer que les écrivains sont les créateurs exclusifs et absolus des pensées qu'ils expriment. En fait, nous voyons par mille preuves, ne serait-ce que par la fortune des œuvres et les témoignages de la critique, que les pensées des écrivains et de leurs personnages répondent à des façons de voir et de sentir contemporaines. A côté des œuvres, nous lisons des traités de morale et de civilité, des cahiers de notes, des Mémoires, des correspondances, des discours politiques, des chroniques, en un mot des ouvrages plus ou moins proches de la littérature ou étrangers à elle, qui, en quantité considérable, nous renseignent sur la façon dont on vivait et pensait à une époque. Nous voudrions bien être renseignés de façon plus vaste et plus complète sur l'état d'esprit, à tel moment, de chacune des régions de la société. Mais nous le sommes mal. J'ai seulement voulu dire que la documentation que fournis-*

sent à cet égard les œuvres littéraires elles-mêmes est jusqu'à nouvel ordre de beaucoup la plus riche et la plus significative. Sur qui nous renseigne-t-elle? Pas seulement sur les auteurs. Certainement aussi sur leurs lecteurs habituels, sur leur public. Quelle était l'étendue de ce public relativement à l'ensemble de la population? Il nous est difficile de le dire. Nous supposons que tout ce qui pensait plus ou moins, et en avait le moyen, par éducation, par condition, par caractère, c'est-à-dire une portion appréciable de la société, s'intéressait aux lettres, et leur fournissait ou leur suggérait leurs thèmes, jadis comme aujourd'hui. Cette vue est bien insuffisante : elle est proportionnée à l'état de notre information. Qui qualifiera socialement le public du théâtre? Qui mesurera, au-delà des limites de la littérature lettrée, la diffusion des cahiers de colportage, de la littérature orale, contes traditionnels, chansons? Les historiens s'intéressent de plus en plus à tout cet aspect du passé; ils entreprennent des enquêtes exactes, selon leur méthode et leurs moyens propres, sur ce qu'on pensait et sentait autrefois, et on ne peut que s'en féliciter et accueillir avec intérêt leurs résultats.

T.T. : La critique la plus radicale du déterminisme social est encore à venir. Elle part, non plus d'une carence de fait (les difficultés empiriques à établir la relation), mais d'un désaccord de principe; vous trouvez maintenant des objections qu'on peut opposer « à tout système ou école qui prétend réduire la pensée à des exigences vitales » (*l'Écrivain...*, p. 50-51). Là aussi, on trouve l'affirmation dès *Morales du grand siècle :* « L'homme social a besoin de se conduire par des motifs plus vastes que ses intérêts particuliers. [...] L'homme pensant est à même de concevoir plus de justice, de bonheur, de vérité, de grandeur qu'il n'en a sous les yeux » (p. 364). On peut ici élargir l'horizon du débat : l'idéal est irréductible au réel, les valeurs ne se déduisent pas des faits; parler de déterminisme en ignorant la liberté revient à encourager le renoncement à la liberté : l'énoncé est faux, l'énonciation dangereuse (pour peu qu'elle soit appuyée par un appareil d'État suffisamment fort). « L'existence objective, considérée seule et comme seule réelle, justifierait pleinement – comment n'y prend-on pas garde? – le mépris de tout droit, l'oppression et la cruauté; plus exactement, il n'y aurait pas en elle de quoi les condamner. Les tyrans le savent, qui affectent de ne connaître l'homme que sous cet angle, comme une machine à manipuler, sans réalité personnelle et sans droits » (« A propos d'ordinateurs. Note sur l'existence subjective », in *Commentaire,* 19, 1982, p. 456). C'est ce qu'on peut observer dans un cas particulier, les attaques portées contre l'idéologie libérale et la doctrine des droits de l'homme : « On peut dire qu'en enfermant la discussion dans l'ordre économique, en laissant entendre que la liberté n'a jamais été que le droit de s'enrichir aux dépens d'autrui, en jetant par ce biais l'anathème sur l'individu, on accrédite implicitement une philosophie dictatoriale » (*le Temps des prophètes,* p. 16). Mais telle est aussi la vérité générale de la condition humaine : « Par sa nature, l'esprit de l'homme en tout siècle déborde au-delà de la société et de l'histoire; il rejoint l'humanité des époques qui ont précédé et de celles qui suivront, et communique avec elles » (« Réflexions sur la critique littéraire », in *le Statut de la littérature,* 1982, p. 5).

Or il existe, dans chaque société, un groupe d'hommes qui sont, en quelque sorte, les professionnels de l'esprit; dont la production, par conséquent, ne se réduit pas à un quelconque déterminisme social : c'est ce que nous appelons les intellectuels. « L'homme est ainsi fait qu'il se met à distance de lui-même pour concevoir sa conduite en fonction de valeurs absolues : il n'y aurait pas d'intellectuels s'il en était autrement. [...] Les gens de pensée, écrivains et artistes, sont à quelque degré, de par leur fonction, les juges de la société en même temps que ses soutiens » (*le Sacre...,* p. 19-20). Donc Montesquieu, s'il est un véritable écrivain, Racine, un véritable artiste, ne sont pas rigoureusement réductibles, dans leur œuvre, au milieu dont ils sont issus. C'est là non seulement un état de fait occasionnel, mais un caractère permanent de l'homme de pensée. « Aussi attend-on des intellectuels des formules universelles, distinctes des intérêts et des circonstances, valables pour tous et pour toujours » (*ibid.,* p. 19).

Au terme de ce parcours, je dirais que votre « nouvelle » position consiste, non plus à choisir entre déterminisme et liberté (en faveur du déterminisme), mais à penser simultanément les deux. Ayant toujours fait une œuvre d'historien, vous n'hésiterez pas à écrire : « Avouerai-je que je tiens pour évidente l'existence d'une nature humaine assez constante, de mémoire de lecteur, pour que, de la Bible à Montaigne et de l'*Iliade* à Baudelaire, soit possible la vaste communication qui nous porte et qui nous inclut tous » (*l'Écrivain...,* p. xv), et à exprimer votre foi en « la perfectibilité propre à l'espèce humaine » (*Morales...,* p. 367), rejoignant ainsi les espoirs d'un Rousseau en même temps que ceux de Condorcet et de Constant. La littérature même est régie par cette antinomie : elle « est à la fois circonstancielle et exemplaire, autrement dit dépendante et souveraine, comme l'esprit humain lui-même » (« Réflexions... », p. 5).

P.B. : *Ce dernier point est le seul qui fasse vraiment question, parce qu'il choque un certain scientisme. Oui, l'objet de nos études est quelque chose de plus qu'un* objet *ordinaire; il dépasse l'ordre des faits, il met en jeu des consciences créatrices et des valeurs qui sont la trame des œuvres; sa connaissance requiert d'autres facultés que celles qui nous conduisent dans la connaissance de la nature. Les historiens eux-mêmes peuvent-ils se borner à rendre compte d'un ordre de choses et de son évolution, et, là où ils voient naître des valeurs nouvelles, décrire l'événement en biologistes ou en naturalistes? Rien n'est moins sûr, ni plus difficile à imaginer : racontant l'homme, ils sont à tout moment devant ce qui, dans l'homme, passe la nature brute, atteste la liberté de choisir des fins et sollicite le jugement subjectif du narrateur. Cependant ils ont affaire surtout à la masse des faits matériels et des événements, aux nécessités et aux hasards de la vie des nations; les responsabilités de l'esprit humain ne sont pas absolument leur affaire. Nous autres, au contraire, sommes à peu près uniquement aux prises avec les idées des hommes sur le bien, sur la justice, sur la beauté, et l'histoire ne nous occupe, si historiens que nous souhaitions et prétendions être, que de façon relative. Vous avez raison de penser que prendre conscience d'une telle situation, avec les conséquences qu'elle implique quant à notre démarche propre, ce n'est pas seulement apporter un correctif à une doctrine de causalité, c'est reconnaître qu'aucune mise en perspective causale n'épuise le sens d'une œuvre littéraire, et c'est assigner à l'étude de la littérature une position dès le principe différente de celle des sciences de la nature. Il n'en*

*résulte évidemment pas qu'il n'existe, dans cette étude, aucun
critère de vérité : car il y a, à la base de nos interprétations,
beaucoup de faits à recueillir et d'informations à vérifier, et,
dans nos interprétations elles-mêmes, beaucoup d'intuition et
de jugement à mettre en jeu pour atteindre le degré suffisant
de plausibilité qui, en matière humaine, tient lieu de certitu-
de.*

LA CRITIQUE

Méthodes critiques?

T.T. : A l'égard de la critique contemporaine, vous avez pris une
position elle-même critique; et c'est par là que je voudrais
aborder votre réflexion sur ce sujet. Le premier reproche
général que vous adressez au débat critique contemporain, c'est
que vous y constatez la croyance en une sorte de fiction verbale
appelée la « méthode ». Les critiques « croient discuter de la
méthode », ont tendance à « baptiser toute découverte " méthode " nouvelle » (*l'Écrivain...*, p. XII-XIII), alors qu'il s'agit en
réalité de tout autre chose. Si je décide de pratiquer sur la
littérature une analyse sociologique, ou d'adopter une approche
psychanalytique, je ne dispose d'aucune méthode particulière :
je choisis plutôt de ne m'intéresser qu'à une partie de l'objet et,
parfois, j'adopte un ensemble d'hypothèses concernant cette
partie. Rien de tout cela ne correspond à ce que devrait être
une méthode, à savoir une « voie d'approche vers une vérité, où
ne soit pas présupposée la nature de cette vérité » (« Réflexions... », p. 4-5).

S'il ne s'agissait que d'un abus verbal, le mal serait sans
importance. Ce qui est plus grave, cependant, c'est que
chacune de ces « méthodes » a une ambition totalisante. Les
critiques insistent volontiers sur ce que l'œuvre a d' « organi-
que », de « lié », ils répugnent aux séparations, ils voudraient ne
se fonder que sur « un seul regard » et ne voir qu' « un seul
enchaînement », ils valorisent le « caractère entier » de l'œuvre,
l' « unité » et la « solidarité » de ses éléments, ils aspirent à une
« illumination totale » (*l'Écrivain...*, p. XII-XIII). Or, de telles

généralisations sont forcément fausses, puisque l'œuvre, comme toute réalité empirique, ne se laisse saisir exhaustivement d'aucun point de vue, forcément partiel : « En essayant de prendre une vision totale, on serait nécessairement trompé » (*ibid.*, p. x). La ferveur méthodologique ne doit donc pas nous empêcher d'admettre avec humilité que la critique est, nécessairement, « toujours incomplète » et de chercher un meilleur équilibre entre fidélité aux faits et cohérence du système, entre « la sensibilité aux œuvres et l'aptitude à en raisonner » (*ibid.*, p. XIII).

P.B. : *Oui, je crois qu'on abuse aujourd'hui du mot de méthode, parce qu'il suggère l'idée d'un projet scientifique; en fait, on l'emploie pour désigner des systèmes préconçus d'interprétation et des démarches arbitraires qui sont parfois, je crois, aux antipodes de l'esprit scientifique.*

Critique nouvelle?

T.T. : Notre accord n'est pas aussi parfait pour ce qui concerne un second reproche formulé par vous. Vous pensez que la critique « nouvelle » n'a rien apporté de neuf, que les idées et les hypothèses sont les mêmes, depuis deux cents ans, et peut-être même plus (*l'Écrivain...*, p. X-XI). Sans même entrer dans le fond du débat, on peut s'étonner : la critique échapperait-elle totalement à la détermination historique et idéologique, qui a une emprise si forte sur la littérature elle-même? A supposer même que les éléments de chaque doctrine soient restés identiques, leur articulation interne, la hiérarchie qu'ils forment sont-elles pour autant indifférentes? Ne peut-on par exemple observer en critique littéraire une évolution, parallèle à celle d'autres sciences humaines, de l'intérêt pour l'inscription historique d'une œuvre à celui pour son organisation interne – évolution qui ne consiste qu'en un déplacement d'accent, mais qui ne se produit pas moins, à peu près simultanément, dans presque tous les pays européens, et qui de ce fait ne serait pas dépourvue de signification?

P.B. : *Je ne crois pas avoir vraiment dit que la « nouvelle critique » n'avait rien de nouveau à son actif. A vrai dire, la discussion sur ce point est difficile, étant donné le vague de la notion même de nouvelle critique. On applique en effet cette appellation à des tendances très diverses : thématique, marxiste, psychanalytique, structuraliste, sémiotique, etc. Et il n'est pas contestable que la plupart de ces étiquettes, ou bien étaient déjà usitées dans les générations antérieures, ou bien possèdent, sous d'autres noms, quelque germe précurseur dans la critique traditionnelle : elle n'ignorait tout à fait ni les références psychologiques ou sociales, ni la considération des thèmes, ni celle des formes et des figures. Il est vrai que, dans chacune de ces directions, notre époque a inauguré des démarches nouvelles, dont il faudrait définir dans chaque cas la fécondité, mais qui, d'une école à l'autre, sont loin de coïncider.*

Où réside donc l'unité de la nouvelle critique? Le penchant, qu'on y remarque souvent, au système et à la totalisation ne saurait fonder nulle unité entre les diverses écoles, mais, au contraire, la différence et la guerre. Et pourtant, nous voyons la nouvelle critique encline, comme l'ancienne, à marier et combiner souvent plusieurs approches théoriques, selon des dosages divers. Ce qui frappe davantage, et établit un air de parenté entre toutes les variétés de la nouvelle critique, c'est d'une part le peu de souci qu'elles semblent avoir, dans certaines de leurs interprétations, de la signification manifeste des textes et, d'autre part, leur prédilection pour un langage de spécialité impénétrable au lecteur ordinaire. Veut-on imiter par là ce qui a lieu dans les sciences exactes, dont les résultats modernes se situent en effet à une distance de plus en plus grande de l'évidence sensible, et se formulent dans un langage particulier? Mais ces sciences fondent leurs résultats sur un enchaînement d'expériences difficiles et de déductions abstraites qui les éloigne de la connaissance et du langage communs, et les autorise à se passer de l'adhésion des profanes. La littérature, au contraire, se fonde sur des expériences subjectives largement partagées; elle fait partie des relations ordinaires de l'humanité, elle implique une communication vaste. En affectant un statut analogue à celui des sciences, la critique littéraire risque de ruiner sa propre vérité et de perdre le contact de son objet. Je décris, évidemment, des défauts et des conséquences extrêmes, en deçà desquels ont su naturellement se tenir les meilleurs des « nouveaux critiques ». On ne peut en dire autant de la masse des disciples et des imitateurs.

Tout cela dit, il est possible, comme vous le pensez, qu'une tendance générale se soit manifestée de notre temps à mettre l'accent sur l'« organisation interne des œuvres » plutôt que sur leur « inscription historique », et que tel soit l'esprit général de la nouvelle critique. Encore faut-il observer que la critique ancienne n'est pas essentiellement historique. Pendant des siècles, elle ignora pour ainsi dire l'histoire; et, même quand elle s'est appelée histoire littéraire, elle n'a pu négliger la configuration d'une œuvre ou d'une page, prises en elles-mêmes : c'est le fondateur de l'histoire littéraire qui créa en France la religion de l'« explication de texte ».

Critiques externes?

T.T. : Il y a aussi un troisième reproche général, qu'on trouve souvent chez divers critiques de la critique, mais qu'on est surpris de rencontrer sous votre plume : c'est la condamnation de la critique récente parce que celle-ci introduit des concepts extérieurs au champ de la littérature. Vous déplorez ainsi « l'intrusion, souvent brutale, de disciplines et de terminologies étrangères dans un champ d'études aussi délicat que le nôtre, qui s'effondre sous elles » (*l'Écrivain...*, p. XII-XIII), vous vous méfiez des systèmes « inspirés [...] de disciplines et d'hypothèses étrangères à la littérature » (« Réflexions... », p. 4). Si une telle attaque surprend chez vous, c'est que vous aviez affirmé auparavant qu'il n'existe pas de frontières étanches entre la littérature et « tout ce qui s'écrit pour le public » et que du coup on voit mal ce qui pourrait être « étranger » à la littérature. Par ailleurs, lorsque vous pratiquez vous-même l'analyse littéraire, votre conceptualisation ne me semble ni plus ni moins « étrangère » à la littérature que celle des autres critiques; dans une page de *Morales du grand siècle* (c'est la 37), je relève par exemple ces termes : liberté, servitude, jugement, libre arbitre, volonté, raison, moi. De deux choses l'une : ou bien la littérature est entendue en un sens étroit, mais alors on ne peut dire vraiment que ces notions appartiennent à un champ si délicat; ou bien la littérature est entendue en son sens large (le vôtre), et vos notions lui sont intérieures, mais le sont aussi celles des autres critiques.

P.B. : *Je crois déjà avoir répondu en partie à cette objection. Je veux bien que, d'une certaine façon, un traité de sociologie, d'anthropologie, de linguistique fasse partie de la littérature au sens le plus large. Il ne s'ensuit pas que les démarches qui ont pu réussir dans ces disciplines puissent être transportées avec fruit en critique littéraire. La critique use toujours, c'est vrai, de concepts qu'elle applique aux textes, et cet usage n'est pas propre à la critique moderne; toute critique qualifie selon des notions chères au commentateur les œuvres qu'elle commente. Mais quelles notions? Vous relevez chez moi celles de liberté, servitude, volonté, raison, moi, etc., et vous pourriez en indiquer bien d'autres. Observez pourtant que ces notions sont familières aux auteurs eux-mêmes; elles sont en quelque sorte la matière première de la littérature, comme du sens commun. Peut-on en dire autant des concepts que la linguistique ou la psychanalyse ont eu besoin d'introduire dans leurs recherches? La littérature les ignore naturellement, et l'usage littéraire les accueille avec parcimonie; leur intrusion massive en critique a quelque chose de traumatique.*

Ce n'est pas que je fasse aucune objection de principe aux échanges possibles de la critique littéraire avec des disciplines voisines. Au contraire, toute nouvelle inspiration dans la lecture des textes mérite, je pense, un préjugé favorable. Mais il faut juger finalement toute entreprise par ses résultats. Or les résultats sont apparus comme singulièrement inégaux : brillants et convaincants parfois et chez quelques auteurs, mais, dans une proportion inquiétante, fantastiques ou totalement négatifs. Si l'on en juge ainsi, pourquoi ne pas le dire?

La critique structurale

T.T. : A la suite de ces reproches généraux, vous adressez aussi quelques critiques à des tendances particulières des études littéraires contemporaines, en vous attardant sur la critique structurale, la critique psychanalytique et la critique sociologique. La première remarque que vous formulez à l'égard de la « méthode structuraliste » me semble relever du contresens, puisque vous l'accusez d'être, à l'instar des autres variétés, une critique externe, « puisée à une source étrangère », alors que dans la même phrase vous l'identifiez par une définition de la littérature comme une pure « organisation de formes ou de signes verbaux » (« Réflexions... », p. 4); définition dont on peut dire beaucoup de mal, mais certainement pas qu'elle réduit la littérature à une chose qui lui est extérieure.

Mais votre mise en question va plus loin. La critique structurale, précisément parce qu'elle est « interne », veut exclure de son objet toute considération sur l'intention de l'œuvre et toute relation entre cette œuvre et les valeurs sociales; autrement dit, elle considère l'œuvre comme un objet, ou encore « comme une chose, [et] ne veut envisager que l'organisation et la disposition des matériaux qui la composent » (*ibid.,* p. 9). Or, si une telle exclusion fait bien l'affaire du critique, en lui livrant une matière homogène et facilement observable, elle porte un grave préjudice à l'objet empirique lui-même, c'est-à-dire à l'œuvre, en l'amputant de quelques-unes de ses propriétés essentielles. « Désenchantée ou fervente, une œuvre littéraire est toujours le message tendancieux qu'un sujet émet pour d'autres sujets; elle vit d'une relation d'influence et de finalité dont la science objective, telle qu'elle se définit elle-même, n'a pas le moyen de se rendre maîtresse » (*ibid.,* p. 20). Transposée à l'échelle de la connaissance globale de l'être humain, « cette réduction reviendrait, pour offrir l'homme au regard du savant, à exclure de lui, en même temps que toute subjectivité, la conscience et la volonté telles que notre intuition nous les fait connaître » (*ibid.,* p. 9) : un prix évidemment trop élevé, qu'il est permis de refuser de payer. Mais, s'il en est ainsi – et on retrouve ici la critique adressée par Bakhtine aux Formalistes ou aux structuralistes –, « tout essai de supprimer ou d'ignorer le caractère intersubjectif du message littéraire risque d'être, dans son principe même, un non-sens » (*ibid.,* p. 20).

Ce que vous condamnez ainsi, c'est la philosophie sous-jacente à la critique structurale, l'idée du texte auto-suffisant.

Mais cette condamnation me semble s'appliquer moins, ou pas de la même manière, à la pratique de la critique structurale. Vouloir étudier l'œuvre comme une combinaison de matériaux n'a en soi rien de répréhensible, si cela veut dire que tout élément de l'œuvre (tout « matériau ») doit avant tout être mis en relation avec ses autres éléments, puisque ce n'est que dans son contexte qu'il trouve son sens. L'exigence ne devient exorbitante que si elle se conjugue avec l'ambition totalisante dont il était question auparavant. Que les relations structurales soient pertinentes est une chose; qu'elles soient les seules à l'être en est une autre, puisque s'en trouverait exclue toute relation au contexte synchronique et, au-delà, toute relation aux valeurs humaines universelles. N'y a-t-il pas lieu, plutôt que d'exclure toute recherche sur l'organisation de l'œuvre, d'en faire un moment nécessaire mais non suffisant de la critique littéraire?

P.B. : *Le contresens que vous me reprochez touchant mon appréciation de la critique structurale n'en est pas du tout un. Car c'est un fait qu'on n'a cru pouvoir traiter l'œuvre littéraire comme une « pure organisation de formes ou de signes » que par une méthode effectivement « puisée à une source étrangère », à l'histoire naturelle, à la linguistique, à l'anthropologie : démarche non condamnable en soi, mais comportant un risque évident d'échec. Pour le reste, je ne veux que répéter ce que j'ai dit moi-même, au début de cet échange de propos, concernant l'intérêt qu'il y a à étudier l'organisation des œuvres, mais en liaison avec leur sens et l'intention des auteurs.*

La critique de l'inconscient

T.T. : Vos réserves sur une critique qui privilégie l'inconscient au détriment de la conscience s'expliquent en partie par l'usage tendancieux qui est souvent fait de ce prétendu déterminisme. Le cas le plus simple est celui où le critique essaie, comme vous le dites à propos de Rousseau, de sonder les cœurs pour déprécier les doctrines (*l'Écrivain...*, p. 50) : la psychanalyse littéraire n'est alors qu'une variante rajeunie de la critique biographique, dont le tort n'est pas d'établir certains faits, mais de leur attribuer un rôle démesuré, de réduire la valeur de la pensée aux causes qui l'ont fait naître.

Mais il y a aussi d'autres raisons qui vous font résister à certaines formes de critique fondées sur l'inconscient, thématiques ou psychanalytiques, qui entendent mettre au jour et privilégier l'« impensé » du texte, plutôt que celui de son auteur. Vous vous en expliquez, en particulier, à propos de Michelet. Identifier certaines obsessions, constater les préférences pour telle ou telle substance n'est pas en soi un acte illégitime; il le devient cependant lorsqu'il entraîne l'élimination systématique de toute référence aux doctrines professées par l'auteur, ou qu'il s'accompagne même de leur dépréciation déclarée. Une exclusion d'une partie quelconque de l'œuvre de l'auteur est déjà arbitraire; mais le dénigrement de la pensée consciente implique qu'on tient pour négligeable la liberté et la volonté du sujet. «L'univers élémentaire des sensations et des appels instinctifs » (*le Temps des prophètes,* p. 498) est bien présent chez l'auteur; mais n'y a-t-il pas une certaine présomption à vouloir balayer d'un revers de la main tout l'effort de l'écrivain, qui consiste à convertir ces sensations en langage et donc en appel adressé à autrui? Penser l'impensé d'auteurs comme Rousseau ou Michelet ne revient-il pas, quoi qu'on dise, à manifester quelque condescendance à leur égard?

La hiérarchie entre conscience et inconscient postulée par vous contredit le lieu commun de notre époque. « Les images ne valent, en littérature, que par les passions et les volontés que le moi tendancieux de l'auteur y met, et qui sont un autre nom de son idéologie. L'univers imaginaire est orienté par des pensées et des arrière-pensées. [...] Les nausées de Michelet naissent de ses condamnations de principe » (*ibid.,* p. 489-499). On dit beaucoup plus volontiers de nos jours que l'idéologie ne vaut que par les images, que la pensée est orientée par l'univers imaginaire, et que les principes naissent des nausées. S'agit-il de renverser purement et simplement la hiérarchie courante ou bien doit-on chercher à penser différemment l'antinomie que forment conscience et inconscient?

P.B. : *En ce qui concerne la psychanalyse, je n'ai pas non plus d'objection de principe. La psychologie des écrivains est généralement pour quelque chose dans leur vision du monde, voire dans leurs choix et prédilections formelles, et on ne peut l'exclure du domaine de la critique. La psychologie de l'inconscient, élément traditionnel de notre culture comme la psychologie tout court, a depuis longtemps droit de cité en critique littéraire. Elle s'égare quand, au discours de l'auteur, se substitue un autre discours qu'il n'aurait pas reconnu, et dont la présence dans son œuvre est conjecturée par une autorité extérieure. Or les titres de cette autorité à une connaissance vraie du domaine littéraire sont nécessairement problématiques. Seraient-ils confirmés, le remaniement que la critique psychanalytique impose au contenu de l'œuvre resterait étranger à la littérature, dont le domaine est avant tout celui des échanges conscients entre esprits. Il est vrai que le critique peut être amené à dépasser, dans son commentaire, le sens manifeste de l'œuvre; il a dû le faire de tout temps, car le texte ne dit pas seulement, il suggère sans dire, il voile ce qu'il ne veut pas dire. Mais le critique, dans cet ordre d'idées, ne peut agir qu'avec une audace mesurée, et dans une entente plausiblement supposée avec l'auteur et avec le lecteur qu'il espère éclairer. Au-delà risque de fleurir l'arbitraire.*

Pour répondre à votre dernière remarque sur ce sujet, je ne sais pas quelle est la hiérarchie réelle du conscient et de l'inconscient, ni ce que valent les vues actuellement les plus répandues touchant le sens de cette hiérarchie. Mais je sais que la littérature vit principalement à la lumière de la conscience, et meurt sans elle. Aucun homme, fût-il psychanalyste, ne supporterait de vivre – le moment de sa propre cure excepté – avec un interlocuteur qui, derrière tous ses propos, verrait autre chose, et croirait opportun de l'en informer. Ce qui rendrait la vie impossible tuerait de même la littérature.

La critique sociologique

T.T. : Cette forme de critique vous est plus proche que les autres, dans la mesure où s'y trouve thématisée la relation entre littérature et société, qui vous a également toujours intéressé. Vous racontez qu'à vos débuts vous vous sentiez attiré par le « matérialisme historique » (« Réflexions... », p. 3); la « variante marxiste de cette entreprise » vous paraît « plus vraie et plus aiguë dans son principe que les autres » (*l'Écrivain...*, p. XI), et vous pensez que « toute analyse sociologique des œuvres de l'esprit est conduite à user de la notion de classe » (*le Sacre...*, p. 18). Pourtant, comme on l'a déjà vu, vous prenez aussi vos distances à l'égard de cette critique. Pouvez-vous préciser votre position là-dessus?

P.B. : *La critique sociologique risque aussi de substituer l'autorité extérieure du sociologue, ou du commentateur qui s'en suppose investi, à celle de l'auteur, et de fausser par là le sens des œuvres. Nous avons déjà parlé de cette façon d'aborder la littérature, de sa légitimité et de ses dangers. En ce qui concerne l'emploi de la notion de classe dans cette sorte de critique, son opportunité peut varier selon les époques étudiées. Je dois dire que, contrairement à ce qu'on pourrait attendre, cet emploi semble plus indiqué quand il s'agit du XVIIe siècle que du XIXe. Ce que j'ai cru pouvoir faire dans mes* Morales du grand siècle *ne s'est pas trouvé faisable dans mes études sur l'âge romantique, et j'ai dû réfléchir sur cette différence. Dans l'Ancien Régime, la noblesse, la cour, la robe peuvent avoir chacune une vision du monde différente. Rien de semblable au XIXe siècle entre la haute bourgeoisie, la classe moyenne, le peuple; rien d'aussi tranché, tout au moins. Les comportements politiques diffèrent, bien sûr, mais la philosophie générale est en grande partie commune, surtout dans la première moitié du siècle : un spiritualisme laïque plus ou moins marqué, de tendance généralement libérale, progressiste et humanitaire; des valeurs analogues reconnues du haut en bas de l'échelle sociale; les mêmes types idéaux, masculins et féminins, occupant les imaginations. Quelque chose de semblable avait bien existé aussi au XVIIe siècle, dans la mesure où les croyances, la piété et les idéaux chrétiens régnaient sur l'ensemble de la société. Cependant, dans cette société fortement cloisonnée, chaque milieu social pouvait développer une éthique propre, en rapport avec sa condition particulière. C'eût été difficile dans la société davantage unifiée par la Révolution, où, aucune barrière théorique ne séparant les classes, l'ascension le long d'une échelle unique était en principe toujours possible. On est dès lors conduit à considérer, dans les œuvres, moins les racines qu'elles peuvent avoir dans une* *classe sociale que le projet qu'elles suggèrent, et la situation de ce projet dans l'ensemble du devenir social. D'autre part, la constatation d'un certain* consensus *idéologique au sein de la société (consensus chrétien pendant de longs siècles, puis consensus progressiste et humanitaire) éclaire l'existence d'un pouvoir spirituel ; elle permet de comprendre le rôle d'inspirateurs et de guides que se sont attribué au XIXe siècle les poètes, écrivains et penseurs, qui formulent et détiennent les diverses versions de l'idéologie commune.*

Pratique de la recherche

T.T. : Nous venons de parler de différentes orientations critiques ; or, il est un aspect de la critique qui, sans être en lui-même une « orientation », se trouve (ou devrait se trouver) à la base de tous les autres : c'est l'accumulation d'informations, l'érudition. Vos ouvrages, en particulier ceux qui sont postérieurs à *Morales du grand siècle,* impressionnent par l'étendue et la sûreté des connaissances. Comment avez-vous procédé, concrètement ?

P.B. : *Je vous répondrai volontiers. Je vous parlerai seulement de mon travail sur le romantisme français, qui m'a occupé le plus longuement, en laissant de côté les livres et articles sur d'autres sujets qui ont précédé ce travail ou m'ont conduit quelquefois à l'interrompre. Il faudrait, avant de dire comment j'ai travaillé, que je vous dise de quel projet je suis parti, et comment il a évolué. Je pensais à l'origine à une étude sur le pessimisme poétique dans la génération postromantique (Baudelaire, Banville, Leconte de Lisle, Flaubert et leur entourage littéraire). Mais, dès mes premières lectures, je compris que ce pessimisme était le retournement des enthousiasmes et de la foi de la génération précédente, et qu'il fallait chercher là pour comprendre ce qui s'est produit ensuite. En fait, il fallait même remonter plus haut, le problème ayant sa source dans le rôle que les philosophes des Lumières se sont attribué touchant les destinées de l'humanité. L'ampleur de la tâche m'embarrassait tout en me passionnant, mais je ne voyais pas le moyen de l'abréger en satisfaisant aux exigences de la vérité.*

Mon travail a donc consisté d'abord dans la constitution, entreprise vers 1950, d'un fichier de textes et de références portant à l'origine sur la condition du poète et de l'écrivain et sur les idées en cours concernant cette condition, pendant une période s'étendant de 1760 à 1860 environ. Je me suis aperçu, au fur et à mesure de ce travail, que le problème de la mission ou du sacerdoce des littérateurs n'était apparu et ne se posait qu'en liaison avec des conditions historico-sociales et des modes de pensée et de croyance qui dépassaient de beaucoup ce problème particulier. Ma documentation augmentait d'autant. J'ai dû beaucoup lire, beaucoup extraire, beaucoup classer. J'ai passé notamment beaucoup de temps à dépouiller de très nombreuses collections de revues, littéraires ou générales : cet aspect de l'information avait été souvent négligé en raison de son aridité; mais j'ai, dans ces dépouillements, découvert et compris beaucoup de choses. J'ai ainsi rassemblé peu à peu, pendant de longues années, ce qui me semblait devoir fournir la substance de mon travail. Je classais cette matière selon des critères sommaires, par auteurs et générations d'auteurs, titres et familles de périodiques, appartenances d'écoles, etc., sans que ce classement préjugeât dans mon esprit de ce que serait l'ordre suivi dans mes livres. Je ne cherchais pas à dominer cette matière à mesure que je la rassemblais : c'eût été une peine sans profit, la vastitude du champ et l'imprévisibilité de la moisson future rendant vaines les synthèses prématurées. Je laissais seulement se former dans mon esprit, sur mon sujet ou certains de ses aspects, des schémas partiels ou provisoires, que je notais, sur lesquels je réfléchissais et qui, lorsque rien ne les démentait, pouvaient me conduire à reprendre et à compléter les enquêtes déjà faites, et influençaient la suite de mon travail.

Quand je crus m'être suffisamment informé pour entreprendre d'écrire, j'étais au moins convaincu de la légitimité d'un cadre chronologique par périodes, et j'avais acquis, sur ce que j'avais à dire, quelques idées relativement précises. Je commençai dans l'été de 1968 à écrire un volume sur la période 1760-1830, qui parut en 1973 sous le titre le Sacre de l'écrivain. Je ne pus l'écrire que moyennant une mise à jour, une révision, une sélection sévère et un reclassement, plusieurs fois recommencés, du matériel rassemblé pour cette période –

opérations au cours desquelles j'ai appris beaucoup de choses de mes propres notes, en trouvant pour la première fois réunies, sur tel ou tel point, des informations recueillies parfois à plusieurs années d'intervalle. J'ai pu voir se dessiner alors le schéma définitif de ce premier ensemble, ainsi que l'ordre des chapitres, enfin les enchaînements internes de chacun d'eux. En somme, j'ai exercé une longue patience de chercheur et d'organisateur avant de m'abandonner à l'inspiration de l'écrivain, qui donne à l'ouvrage sa forme finale. Je pense que beaucoup de chercheurs reconnaîtront leur propre démarche dans la mienne. Je ne vois pas, quant à moi, comment un travail de synthèse vaste, en histoire des « idées », pourrait se faire autrement. Mais, bien sûr, je ne me donne pas en exemple : tout tient aux tempéraments et aux habitudes de chacun. J'ai procédé de même, à partir de la documentation déjà rassemblée, pour la période de 1830 à 1848, qui a donné lieu à deux volumes, l'un, le Temps des prophètes *– déjà publié –, sur les auteurs de doctrines générales, l'autre, en voie d'achèvement, sur les poètes. Paradoxalement, mon information sur la génération d'après 1848 – celle qui m'avait intéressé la première – reste jusqu'ici inemployée : comme quoi l'homme propose et le temps dispose. Cette documentation me donnera, je l'espère, la matière d'un nouvel ouvrage.*

Se soumettre à autrui

T.T. : Votre programme positif pour la critique comporte deux volets à première vue incompatibles : se soumettre à autrui et s'assumer soi-même. Se soumettre à autrui, c'est-à-dire à l'auteur étudié : tel est le premier geste du critique, qui doit faire de son mieux pour établir le sens du texte qu'il étudie; telle est aussi sa « méthode ». « On ne devrait appeler méthode en critique littéraire, au sens strict de ce mot [...], que celle qui consiste à s'informer suffisamment, à manier correctement l'information et à l'interpréter de façon plausible, c'est-à-dire en évitant la région mentale où l'indémontrable et l'irréfutable ne font qu'un » (« Réflexions... », p. 4-5). Le critique, comme l'écrivain, part de textes préexistants; mais, alors que celui-ci trouve son mérite dans la transformation qu'il leur fait subir,

171

celui-là, au contraire, ne le fait que s'il réduit cette transformation au minimum : les idéaux de l'intertextualité pratiquée par l'un et par l'autre sont aux antipodes. « Il convient [...] que la crainte d'inventer soit la plus haute de ses vertus » (du critique ; *ibid.*, p. 20). L'idéal du critique est l'établissement de la vérité, dans un premier sens du terme (vérité de correspondance, ou d'adéquation). Ce que l'œuvre critique réalise concrètement n'est pas la vérité mais la plausibilité (ou, comme on disait autrefois, la vraisemblance). Mais, si l'idéal ne peut pas être atteint, il ne doit pas moins agir comme principe régulateur de la recherche, comme horizon permettant de décider de son orientation.

Cette foi dans la vérité comme principe régulateur a été fortement contestée à notre époque, qui préfère croire que « tout est interprétation ». Vous ne niez pas le caractère interprétatif du travail critique, mais vous ne voulez pas non plus en rester à ce constat : « Nul n'ose dire que n'importe quelle interprétation est légitime » (*l'Écrivain,* p. xiv). La raison de cet optimisme herméneutique est que le langage et la littérature ne sont pas des jeux individuels et arbitraires, mais des conventions sociales qui servent la communication et permettent l'entente d'un homme avec un autre homme. « Le langage [...] est malgré tout le lien des hommes et, avec l'aide précieuse et sévère de la philologie, celui des siècles. [...] L'entretien ininterrompu, à travers les générations, des auteurs et du public est le postulat même de la littérature, qui se fonde sur l'entente » (*ibid.,* p. xiv-xv). C'est pourquoi il est possible d'établir des règles de l'interprétation : « Mallarmé demande à être lu d'abord selon la grammaire, et interprété au plus près du texte. [...] Les pensées de Mallarmé sont à la fois voilées et signifiées par son texte ; n'y ajoutons surtout pas les nôtres » (« Mallarmé », p. 414).

Vous écrivez : « Qui veut définir un auteur est tenté de l'intégrer abusivement à son ordre personnel, d'en faire le précurseur, admirable et pourtant incomplet, de ses propres pensées » (*l'Écrivain...,* p. xiv). Je me demande parfois s'il est bien possible d'échapper entièrement à cette tentation. Je ne pense pas à l'assimilation naïve où, par un mouvement de va-et-vient qui ressemble fort à du surplace, on prête d'abord à l'écrivain ses propres pensées pour se réjouir ensuite de le voir si proche de soi. Je pense plutôt au fait que les catégories mêmes de l'analyse ne coïncident jamais parfaitement avec celles du texte analysé, et que toute interprétation est aussi une inclusion (le double sens du mot « comprendre » illustre bien cette ambiguïté), une intégration dans un cadre d'intelligibilité qui n'est pas celui de l'écrivain lui-même. On peut s'empêcher de lui imposer ses propres assertions ; mais peut-on s'abstenir de lui prêter ses mots ?

P.B. : *Je suis bien d'accord avec tout ce que vous dites de mon « optimisme herméneutique ». Quant à la tentation, chez le critique, d'intégrer un auteur à son ordre personnel, ne serait-ce qu'en lui appliquant ses propres catégories de pensée, je pense comme vous qu'il est, de par la nature des choses, difficile, et peut-être non souhaitable, d'y échapper tout à fait. Mais il faut en conserver le contrôle. Encore faut-il le vouloir, et ne pas se livrer de gaieté de cœur au malentendu.*

S'assumer soi-même

T.T. : Le mouvement d'empathie et de soumission à l'auteur analysé ne constitue que le premier aspect de l'activité critique ; l'autre aspect, complémentaire, exige au contraire (au contraire ?) qu'on assume sa propre voix, puisque, à l'ignorer, on s'enferme dans une autre variante de l'objectivisme. L'auteur appartient à son temps ; comment le critique pourrait-il s'en échapper ? Vous constatez dans *Morales du grand siècle* : « L'intérêt que l'on porte au passé de la pensée naît presque toujours du désir d'en faire un usage nouveau » (p. 367) ; et, dans *le Temps des prophètes,* vous présentez cette prise de position comme une prescription, et pas seulement comme une description. « L'*objectivité* face à des problèmes restés actuels cesse d'être même concevable, pour la simple raison que l'homme et sa condition présente ne sont pas pour nous des *objets.* Apprécier en étranger, sans référence à aucune valeur, une situation ou un débat humains aujourd'hui non dénoués est trop évidemment impossible » (p. 566-567). L'idéal de l'historien ne peut être l'objectivité, mais seulement l'honnêteté ou la probité.

Dès l'instant où la subjectivité du critique se trouve prise en compte, celui-ci ne peut plus prétendre se limiter à la seule description; il doit en même temps assumer ses jugements. « On ne se passe pas de juger les idées, parce qu'on prétend en décrire le sens, et la source » (*Morales...*, p. 7). Vous dépassez ainsi le projet philologique fondé sur la séparation spinozienne du sens et de la vérité et sur l'exclusion consécutive de toute recherche portant sur la vérité. Avec vous, le critique a de nouveau affaire à la vérité, mais dans une autre acception du mot que précédemment : une vérité éthique plutôt que descriptive. Ce nouveau souci de vérité intervient à deux niveaux. Il est d'abord indispensable dans l'analyse même de la pensée d'un auteur, pour en découvrir les défaillances, les incohérences, les difficultés. C'est ainsi que vous n'hésitez pas à parler du « défaut fondamental de toute la littérature aristocratique » (*Morales...*, p. 78) ou des incapacités de la noblesse française (*ibid.*, p. 120); qu'analysant Rousseau, vous vous interrogez sur le fond même du débat qu'il a engagé : « Faut-il croire que l'imagination du bonheur ait jamais pu remplacer [...] le bonheur lui-même? » (*l'Écrivain...*, p. 42); et votre lecture de Jouffroy se transforme en un véritable dialogue : « Une doctrine du progrès sous-entend... Admettons-le; mais on nous dit que... Mettons que... Mais l'idée... Et le philosophe libéral se voit réduit à argumenter, après tant d'autres, sur la notion d'une nécessité libre » (*le Temps des prophètes,* p. 32).

Le souci de vérité intervient aussi à un niveau plus élevé, non plus pour analyser la pensée de l'auteur, mais pour encadrer le dialogue dans lequel s'est trouvé engagé le critique; non comme moyen, mais comme fin : littérature et critique se rejoignent ici après avoir été si longtemps séparées. Lorsque vous écrivez par exemple : « Dans toutes les sociétés connues jusqu'à ce jour, la nature des choses veut plutôt que l'on enlève à la vertu ce qu'on donne à l'amour » (*Morales...*, p. 61), ou bien : « Il n'y a de formule objective des fins sociales qu'inconsidérée ou frauduleuse » (*le Temps des prophètes,* p. 567), vous exprimez, certes, une position qui vous caractérise en tant que sujet historique; mais vous la proposez aussi comme une vérité transhistorique, comme un terrain d'entente possible entre vous-même et d'autres hommes : votre énoncé ici aspire à l'universalité.

P.B. : *Tout en acquiesçant à vos remarques, je voudrais ajouter quelques précisions sur les notions de dialogue et de vérité. Le critique a, comme vous le dites, le droit d'intervenir subjectivement pour imputer au projet de l'auteur, tel qu'il apparaît dans l'œuvre, un défaut de cohérence ou un défaut de plausibilité. Il y a beaucoup à dire à ce sujet. Le défaut de cohérence stricte – voire la contradiction interne décelable dans une œuvre – peut n'être pas à proprement parler une imperfection, mais plutôt un signe, riche de sens : tous les degrés sont possibles entre l'inconséquence pure (ou ce qui paraît tel) et l'ambiguïté révélatrice de la nature profonde d'un problème, ou d'un être. Quant au défaut de plausibilité, il s'entend par rapport à une expérience humaine plus généralement confirmée que le discours de l'auteur; mais ici aussi l'objection soulevée par le critique peut n'en être pas une vraiment, n'aboutir qu'à souligner une originalité de l'écrivain, et conduire à sa justification sur un plan plus profond. On voit à quel point, dans ces démarches critiques, la recherche du sens de l'auteur et l'évaluation de sa pensée peuvent se mêler. C'est le rôle du critique de s'avancer* autant qu'il le peut *vers ces issues réconciliatrices; autant qu'il le peut et, s'il ne le peut tout à fait, de dire pourquoi.*

Quant à se prononcer face à une œuvre sur le plan éthique, c'est encore autre chose. Il s'agit alors des valeurs que l'œuvre accrédite, et qui peuvent faire problème quant à leur légitimité. Il est donc souhaitable, évidemment, que le critique ait l'accueil large, et qu'il s'emploie en ce domaine à poser les questions plutôt qu'à les résoudre. Rien ne l'oblige à se prononcer entre Corneille et La Rochefoucauld, Voltaire et Rousseau, Hugo et Baudelaire. Il dépend de lui de faire sentir ses préférences, s'il croit qu'elles rendront sa critique plus explicite. La communication interhumaine où il s'est engagé lui interdit de faire à son moi *une place excessive : il est, par fonction, tout à tous. Mais pour être informateur et interprète, il n'en est pas moins sujet, et juge du bien et du mal, au même titre que l'auteur et le public. La profession qui l'attache à la littérature le séparerait-elle de l'humanité? Ce serait l'absurdité même. Il est naturel qu'il ouvre un débat quand des questions sont posées qui engagent sa propre conscience, ou quand il sent que ses commentaires seraient autrement sans vérité et sans vertu.*

175

Antinomies

T.T. : On pourrait peut-être résumer votre position critique (à moins que, renonçant à mon tour à la fidélité, je ne privilégie trop le système) comme une tentative, d'abord pour mettre en évidence, ensuite pour articuler un certain nombre d'antinomies : entre déterminisme et liberté, universel et particulier, fidélité contextuelle et esprit de système, conscience et inconscient, fait et valeur, connaissance et jugement, je et autrui... Ce n'est pourtant pas à une synthèse que vous aspirez, mais plutôt à la reconnaissance d'une validité limitée à chacune des options représentées par ces concepts, dépendant du point de vue auquel on se place. Cette démarche semble soutenue par certains choix philosophiques. Comment les définiriez-vous et quel rôle voyez-vous pour la philosophie dans l'exercice de notre métier ?

P.B. : *Vous avez raison de dire que j'articule des antinomies, mais c'est après les avoir constatées, ou pour mieux dire subies : notamment celle qui montre l'esprit à la fois dépendant et souverain, ou qui oppose la lumière de la conscience à l'obscurité des mobiles, ou encore l'ordre des valeurs à celui des faits et des causes. Ces antinomies, à vrai dire, se ramènent à l'opposition entre l'existence objective et celle du sujet humain, opposition qu'on ne peut résoudre ni par la suppression chimérique d'un des deux termes intégré à la nature de l'autre, ni par la production d'un troisième, dont rien ne fournit l'idée. Ce n'est pas là un aspect ni un épisode de la vie de notre esprit, mais sa définition principale. Accueillons donc les contraires dans nos études et tâchons de les accommoder ensemble dans notre critique comme en nous-mêmes.*

Vous me demandez quels sont mes choix philosophiques. N'étant pas philosophe de profession, je vous répondrai dans la mesure où la réflexion sur la condition humaine est naturelle en chacun de nous. L'idée d'une transcendance au-dessus du monde et de l'homme me paraît des plus problématiques. C'est la subjectivité humaine qui inclut, me semble-t-il, une transcendance, en tant qu'elle se tient elle-même invinciblement pour telle et — en dépit de toute profession doctrinale contraire – se vit comme telle. Il est de fait que tout ce qui constitue et distingue le sujet humain, notamment l'exercice de la connaissance et la conviction d'une libre volonté, et tout ce qui le lie à d'autres sujets, la culture, le droit, la morale, transcende l'ordre du fait, et ne peut se concevoir sur le plan purement objectif que par le rejet verbal d'une évidence. L'idée d'une transcendance enfermée dans le sens intime de l'homme peut sembler paradoxale; c'est peut-être même un non-sens philosophique, mais ce non-sens, si c'en est un, enferme tout ce que nous savons de nous, sans rien en retrancher ni rien y ajouter.

Vous me demandez aussi quel rôle une philosophie peut jouer dans l'exercice de notre métier. La critique littéraire, à parler strictement, n'a besoin de philosopher que sur elle-même; et encore, plusieurs ont pu se taire sur ce point sans se disqualifier dans leur pratique de la profession. Il n'est pas trop facile de se taire aujourd'hui : trop de questions ont été soulevées, qui conduisent à prendre position. Il me semble que les réflexions que je viens de faire en réponse à votre dernière question, si elles ne sont évidemment pas indispensables à l'exercice de la critique, peuvent peut-être aider à concevoir sa vocation et sa portée. Elles montrent dans la littérature un commerce large et continu, inter-subjectif dans sa nature, humainement transcendant dans son contenu et universel dans sa portée, du fait qu'il concerne en principe l'universalité des sujets. Ce n'est pas dire, au fond, autre chose que ce qu'on a longtemps tenu pour évident, en appelant « humanités » les études littéraires.

Une critique dialogique?

On sait combien il est difficile d'entendre un reproche que vous adressent les autres. Ou bien ils vous agressent; mais c'est qu'ils ne vous connaissent pas et ne cherchent à vous comprendre : ils s'énervent de ce que vous êtes autre que ce qu'ils souhaiteraient trouver; ils vous nient si profondément que vous ne vous sentez plus concerné. Ou bien ils vous sont (ils vous ont été) proches; mais alors c'est la rupture affective, et sa douleur l'emporte sur toute considération objective : l'important, c'est qu'on ne s'aime plus, non que vous soyez comme ceci ou comme cela. Ou encore ils continuent de vous aimer, et du coup ne vous disent rien que vous puissiez ressentir comme une contestation de fond : ils vous ont accepté pour ce que vous êtes, même s'ils n'en pensent pas moins. C'est à se demander comment on fait pour apprendre quoi que ce soit sur soi-même à partir des paroles des autres. Mais c'est peut-être de moi seulement que je suis en train de parler? Pourtant, si je m'efforce de réfléchir sur mon cheminement intellectuel, le souvenir de deux rencontres me vient à l'esprit, rencontres qui, je m'en rends compte longtemps après, ont contribué à me changer.

Elles n'ont, à première vue, que des ressemblances superficielles. Je les ai faites, l'une et l'autre, à la suite d'une de ces prestations qui forment un volet indispensable de ma profession, les conférences à l'étranger : moitié tourisme, moitié spectacle (on visite et on se laisse visiter en même temps); des sympathies peuvent y naître, on peut aussi entendre des critiques acerbes; mais, dans l'ensemble, rien qui vous atteigne à l'intérieur. Les deux conférences avaient lieu en Angleterre, pays où je me rends rarement. Et dans les deux cas je me souviens, malheureusement, beaucoup mieux de l'effet que les paroles prononcées ont eu sur moi que des paroles elles-mêmes.

La première de ces rencontres s'est produite à Londres, il y a un peu plus de dix ans. J'avais parlé de Dieu sait quoi à l'Institut français et, au cours de la réception qui a suivi, on m'a présenté à un homme plus âgé que moi, aux yeux bleu vif, à la main un verre de whisky qui se vidait, je crois, assez vite : Arthur Koestler. J'avais lu *le Zéro et l'Infini* quand j'étais encore en Bulgarie, ce livre m'avait fait une forte impression. Comme il se doit, la conversation n'a pas du tout porté sur ma conférence ; mais plutôt sur le fait que je venais, justement, d'un pays d'Europe de l'Est, vivant sous régime communiste. Je professais alors, à l'égard de la politique, une attitude que j'avais adoptée dans mon adolescence là-bas, et que je crois commune à beaucoup de personnes de ma génération : elle était faite de fatalisme et d'indifférence. Les choses ne pouvant être autrement qu'elles n'étaient, le mieux était de s'en désintéresser tout à fait. J'exprimais donc cette indifférence devant Koestler, en la présentant comme une position de lucidité et de sagesse. Je ne retrouve pas les mots qu'il m'a répondus, mais je sais que sa réaction était faite de politesse, de fermeté, d'étonnement et de refus. Et, à le voir, je sentis soudain que son existence était la preuve de la fausseté de ce que je disais : il était celui qui n'avait pas adopté une attitude fataliste. Il ne me combattait pas dans la conversation, ne me reprochait rien ; mais il avait comme une tranquille assurance d'avoir raison parce qu'il était ce qu'il était.

Le deuxième épisode se situe à Oxford. Cette fois-ci, je le sais, ma conférence portait sur Henry James et « l'analyse structurale du récit » (je savais à l'époque ce que cela voulait dire). J'étais invité par un collège dont le président était Isaiah Berlin. Je n'avais alors rien lu de ce merveilleux philosophe et historien ; mais il était chaleureux et éloquent, et j'étais aussitôt séduit. Il m'offrit l'hospitalité (comme il devait le faire pour d'autres conférenciers) et je n'oublierai pas la nuit que nous avons passée dans sa maison, un véritable musée ; c'est moi qui avais maintenant à la main un verre de vodka, qu'il remplissait obligeamment, tout en me racontant ses souvenirs sur Pasternak et Akhmatova (il les a publiés depuis). Il avait assisté, silencieux, à ma conférence, et plus tard, à un moment de la soirée, m'a dit quelque chose comme : « Oui, Henry James, oui, oui, les structures du récit. Mais pourquoi ne vous occupez-vous pas de choses comme le nihilisme et le libéralisme au XIXᵉ siècle? C'est très intéressant, vous savez. »

Je me rends bien compte que ces réminiscences sont parlantes surtout pour moi, tellement les événements qui s'y produisent sont infimes et ne prennent sens que par rapport à d'autres expériences qui me sont propres. Sur le coup, du reste, je n'y avais prêté aucune attention. Ce n'est que rétrospectivement, et déjà parce que ma mémoire a retenu ces incidents parmi mille autres, que je m'aperçois qu'ils ont été importants pour moi; et que je me mets à leur chercher d'autres traits communs, à m'interroger sur ce qui les distingue de tout le reste. Dans ces deux répliques qui m'étaient adressées, j'ai entendu quelque chose comme une désapprobation et une recommandation. Mais je ne les ai pas écartées, comme d'habitude, en les classant dans les rubriques de l'incompétence, de la malveillance ou de la passion. Cela tenait sans doute à l'identité de mes interlocuteurs : des personnages connus et respectables; mais aussi à leur gentillesse et bienveillance – ou peut-être simplement politesse (anglaise), mais que je prenais pour autre chose. Je me dis maintenant aussi qu'ils avaient, tous les deux, et comme moi, vécu le déracinement et l'altérité culturelle, et que du coup ils savaient mieux vivre l'altérité personnelle – où l'on reconnaît l'autre tout en gardant ses distances.

Toujours est-il que ces deux conversations, aussi insignifiantes soient-elles, ont joué un rôle certain pour moi. Si je traduisais un peu brutalement ce que j'y ai compris, je dirais que c'était, chaque fois, une prise de conscience du caractère non nécessaire, ou arbitraire, de ma position. Ce que j'ai entendu dans les propos de Berlin était que la littérature n'était pas seulement faite de structures mais aussi d'idées et d'histoire; et de Koestler, qu'il n'y avait pas de raisons « objectives » pour choisir de renoncer à l'exercice de la liberté. Des évidences, bien sûr, mais qu'on a besoin de recevoir d'une certaine façon pour les rendre siennes.

Ces propos, qui, parmi d'autres raisons de moi inconnues, m'ont amené à réviser mes notions de ce qu'est la littérature et ce que doit être la critique, tombaient en fait sur un terrain favorable. Pendant ces mêmes années, la curiosité m'avait conduit vers la lecture d'ouvrages anciens portant sur l'objet qui me préoccupait alors : le symbolisme, l'interprétation.

C'étaient des ouvrages de rhétorique ou d'herméneutique, d'esthétique ou de philosophie du langage, que j'avais lus sans aucun projet historique : j'y cherchais plutôt des aperçus toujours « valides », des lumières sur la métaphore, l'allégorie ou la suggestion. Mais je me suis rendu compte en lisant que faire la séparation entre projet historique et projet systématique n'était pas aussi aisé que je le croyais. Ce que j'avais cru jusqu'alors être des instruments neutres, des concepts purement descriptifs (les miens), m'apparaissait maintenant comme les conséquences de quelques choix historiques précis – qui auraient pu être autres; ces choix avaient du reste des corollaires – « idéologiques » – que je n'étais pas toujours prêt à assumer. J'ai déjà rappelé ces articulations dans l'introduction du présent livre.

Je me suis donc rendu compte, à force de lire ces vieux livres, d'abord que mon cadre de référence n'était pas la vérité enfin révélée, l'outil qui permet de mesurer le degré d'erreur dans chacune des conceptions antérieures de la littérature et du commentaire, mais le résultat de certains choix idéologiques; et, ensuite, que je ne me sentais pas enthousiaste à l'idée de partager toutes les implications de cette idéologie dont l'individualisme et le relativisme sont les deux visages les plus familiers.

Mais que pouvait-on faire d'autre? Refuser ces prémisses, n'était-ce pas revenir à la position encore plus intenable de la critique antérieure (même si elle ne s'appelait pas ainsi), qu'il faudrait appeler, pour la distinguer de l'*immanence* revendiquée par les modernes, *dogmatique :* où la littérature, n'étant plus opposée aux autres productions verbales des hommes, devait « s'enrôler au service de la vérité », comme le disait saint Augustin à propos de l'éloquence? Le commentaire devait-il accepter, à son tour, d'être le serviteur d'un dogme, sachant d'avance quel sens il fallait trouver ici ou là, ou en tous les cas jugeant de la valeur de ce sens en fonction d'un principe préétabli?

Je connaissais bien, en fait, cette critique-là, pour avoir été éduqué en Bulgarie, même si je ne l'avais pas pratiquée au-delà des dissertations de lycée. A la différence de ce qui se passait en France en 1963, quand j'y suis arrivé, la « théorie de la littérature » figurait parmi les disciplines que devait assimiler

l'étudiant de philologie à Sofia (je me souviens encore du visage
soudainement glacé du doyen de la faculté des lettres de la
Sorbonne quand je lui ai demandé, en 1963, dans un français
balbutiant, qui enseignait ici la théorie littéraire). Mais cette
théorie, qui imprégnait bien sûr les cours d'histoire de la
littérature, se réduisait essentiellement à deux notions : l' « esprit du peuple » et l' « esprit du parti » (*narodnost* et *partij-
nost*); beaucoup d'écrivains avaient la première qualité, mais on
ne trouvait la seconde que chez les meilleurs. On savait
d'avance ce que les écrivains devaient dire; tout ce qui restait à
trouver était dans quelle mesure ils y réussissaient. Je pense que
c'est cette éducation qui a éveillé, par contraste, mon intérêt
initial pour les Formalistes.

Les tenants de la position « immanente », comme ceux de la
position « dogmatique », ont toujours cherché, me semble-t-il, à
présenter la position de l'adversaire comme la seule alternative
possible à celle qu'ils assumaient eux-mêmes. Les conservateurs
dogmatiques prétendent que tout renoncement à leurs valeurs
équivaut à l'abandon de toute valeur; les libéraux « imma-
nents », que toute aspiration aux valeurs conduit à l'obscuran-
tisme et à la répression. Mais faut-il les croire?

La réponse à cette question m'est venue, comme on peut s'y
attendre, par une voie détournée. Depuis que j'avais acquis la
citoyenneté française, je m'étais mis à sentir avec plus d'acuité
le fait que je ne serais jamais un Français comme les autres, de
par mon appartenance simultanée à deux cultures. Double
appartenance, intériorité-extériorité, qui peut être vécue
comme un manque ou comme un privilège (je penchais et je
penche plutôt pour la vision optimiste), mais qui de toutes les
façons vous rend sensible aux problèmes de l'altérité culturelle
et de la perception de « l'autre ». Je venais de concevoir un
vaste projet là-dessus, quand j'ai découvert, au hasard d'une
autre série de conférences, au Mexique cette fois-ci, les écrits
des premiers conquistadors sur la conquête de l'Amérique; cet
exemple éblouissant de découverte (et d'ignorance) de l'autre
m'a habité pendant trois ans. Or, à réfléchir à ces sujets, je me
suis aperçu que je retrouvais mon problème littéraire, projeté
sur une bien plus grande échelle, puisqu'il s'agissait de l'opposition de l'universel et du relatif dans l'ordre éthique. Fallait-il,
obéissant à l'esprit de tolérance qui domine nos esprits, même

s'il laisse intacts nos comportements, renoncer à tout jugement sur des sociétés autres que la nôtre ? Et si, au contraire, je maintenais certaines valeurs comme universelles, pouvais-je échapper à l'écrasement de l'autre dans un moule préétabli (le mien) ? Alternative qui rappelle, évidemment, le conflit des « immanentistes » et des « dogmatiques ».

Ce qui m'a poussé à croire illusoire cette impasse était, je pense, mon expérience plutôt heureuse d'exilé. Le choix entre posséder la vérité et renoncer à la chercher n'épuise pas toutes les possibilités qui s'ouvrent devant nous. Sans tourner définitivement le dos aux valeurs universelles, on peut les poser comme un terrain d'entente possible avec l'autre plutôt que comme un acquis préalable. On peut être conscient de ce qu'on ne possède pas la vérité et pourtant ne pas renoncer à la chercher. Elle peut être un horizon commun, un point d'arrivée désiré (plutôt qu'un point de départ). On n'abandonne pas l'idée de vérité, mais on change son statut ou sa fonction, en en faisant un principe régulateur de l'échange avec l'autre, plutôt que le contenu du programme. En fin de compte, l'entente entre représentants de cultures différentes (ou entre les parties de mon être qui relèvent de l'une ou de l'autre culture) est possible, si la volonté d'entente est présente : il n'y a pas seulement des « points de vue », et c'est le propre de l'homme d'être capable de dépasser sa partialité et sa détermination locale.

Pour revenir à la critique et à la littérature, cette conviction m'a amené à les envisager différemment. Renonçant à chercher la vérité (toujours au sens de sagesse et non d'adéquation aux faits), le critique « immanent » s'interdit lui-même toute possibilité de juger ; il explicite le sens des œuvres mais, en quelque sorte, ne le prend pas au sérieux : il ne lui répond pas, il fait comme s'il ne s'agissait pas d'idées concernant la destinée des hommes ; c'est qu'il a transformé le texte en un objet qu'il suffit de décrire aussi fidèlement que possible ; le critique « immanent » envisage avec la même bienveillance Bossuet et Sade [1].

---

1. Je m'aperçois que Sartre a dit la même chose, mais avec l'intention de refuser toute perspective universaliste. « Rousseau, père de la révolution française, et Gobineau, père du racisme, nous ont envoyé des messages l'un et l'autre. Et le critique les considère avec une égale sympathie » (*Qu'est-ce que la littérature ?* p. 40).

Le critique « dogmatique », lui, ne laisse pas vraiment l'autre s'exprimer : il l'englobe de partout, puisque lui-même incarne la Providence, ou les lois de l'histoire, ou une autre vérité révélée; de cet autre, il fait simplement l'illustration (ou la contre-illustration) d'un dogme inébranlable, que le lecteur est censé partager avec lui.

Or, la critique est dialogue, et elle a tout intérêt à l'admettre ouvertement; rencontre de deux voix, celle de l'auteur et celle du critique, dont aucune n'a de privilège sur l'autre. Pourtant, les critiques de diverses obédiences se rejoignent dans leur refus de reconnaître ce dialogue. Qu'il en soit ou non conscient, le critique dogmatique, suivi en cela par l'essayiste « impressionniste » et le partisan du subjectivisme, fait entendre une seule voix : la sienne. De l'autre côté, l'idéal de la critique « historique » (appellation quelque peu déroutante, on l'a vu à propos de Watt) était de faire entendre la voix de l'écrivain telle qu'en elle-même, sans aucune addition provenant de soi; celui de la critique d'identification, autre variante de la critique « immanente », de se projeter dans l'autre au point d'être en état de parler en son nom; de la critique structurale, de décrire l'œuvre en faisant totalement abstraction de soi. Mais, à s'interdire ainsi de dialoguer avec les œuvres et donc de juger de leur vérité, on les ampute d'une de leurs dimensions essentielles, qui est justement : dire la vérité. Je me souviens que je donnais à Bruxelles une conférence sur l'esthétique de Diderot (décidément, ces occasions semblent m'avoir marqué plus que je ne croyais), dans laquelle, après avoir exposé tant bien que mal les idées de Diderot, je les qualifiai de « fausses », parlant de son « échec ». Un de mes auditeurs, spécialiste de Diderot, intervint : « J'accepte votre description, mais je suis surpris par vos qualificatifs. Auriez-vous la prétention de donner des leçons à Diderot? Ne commettez-vous pas un anachronisme? » Je pense qu'à ses yeux je manquais de respect pour un auteur ancien. Mais, à y réfléchir après coup (esprit d'escalier), je trouve que c'est finalement lui qui manquait de respect pour Diderot, puisqu'il se refusait à discuter ses idées, se contentant de les reconstituer, comme s'il était agi d'un puzzle. Diderot écrivait pour trouver la vérité; était-ce l'offenser que de le reconnaître, en continuant de la chercher, avec et contre lui?

La critique dialogique parle, non des œuvres, mais aux

œuvres – ou plutôt : avec les œuvres; elle se refuse à éliminer aucune des deux voix en présence. Le texte critiqué n'est pas un objet que doit prendre en charge un « métalangage » mais un discours que rencontre celui du critique; l'auteur est un « tu » et non pas un « il », un interlocuteur avec qui on débat de valeurs humaines. Mais le dialogue est asymétrique, puisque le texte de l'écrivain est clos, alors que celui du critique peut continuer indéfiniment. Pour que le jeu ne soit pas truqué, le critique doit loyalement faire entendre la voix de son interlocuteur. Les différentes formes de critique immanente retrouvent ici leur droit (mais dans un parcours différent); comment pourrait-on contribuer à mieux comprendre le sens d'un passage sinon en l'intégrant dans des contextes de plus en plus vastes : celui de l'œuvre d'abord, celui de l'écrivain ensuite, celui de l'époque, celui de la tradition littéraire; or, c'est bien ce qu'accomplit tel ou tel « spécialiste ». Ces différentes intégrations ne s'excluent pas mutuellement, mais s'emboîtent l'une dans l'autre, ou se recoupent, ou se complètent, comme le savait bien Spinoza, qui en faisait les subdivisions de sa nouvelle méthode d'interprétation. Critique, je suis bien obligé de choisir entre une orientation et une autre (quoiqu'il y ait des exceptions) : la raison n'en est pas leur incompatibilité de principe, mais la brièveté de la vie et la quantité de tâches administratives dont on nous accable. Mais, lecteur, je n'ai aucune raison de faire un choix exclusif : pourquoi devrais-je me priver, *ou bien* de la compétence d'un Northrop Frye, qui me montre à quelle tradition littéraire appartient l'image que j'ai sous les yeux (son contexte diachronique), *ou bien* de celle d'un Paul Bénichou, qui me révèle l'ambiance idéologique dans laquelle cette même image a été formulée (son contexte synchronique)?

A ce niveau, donc, les manques du « stucturaliste » peuvent être compensés par les acquis du spécialiste en idéologies, et inversement. Mais les deux (je ne parle plus maintenant de Bénichou ou de Frye) ont aussi un manque commun, qui est peut-être plus important : ce n'est pas plus de faits qu'il nous faut, c'est plus de pensée. Ce qu'on peut déplorer, c'est le refus du critique de se poser soi-même en sujet réfléchissant (plutôt que de s'effacer derrière l'accumulation de faits objectifs) et de porter des jugements. A l'inverse de Spinoza, ou tout au moins de ses intentions déclarées, on ne s'arrêtera donc pas à cette recherche du sens et on la poursuivra par un débat sur la vérité; non seulement : « qu'a-t-il dit? » mais aussi : « a-t-il raison? » (Ce qui, on l'espère, ne revient pas simplement à dire : « j'ai raison ».) D'accord avec Spinoza pour ne pas soumettre la recherche du sens à une vérité qu'on détiendrait par avance, nous n'avons aucune raison de renoncer à chercher, en même temps, la vérité, et à y confronter le sens du texte.

C'est pour cela que j'appelle cette critique « dialogique ». Le type de vérité auquel j'aspire ne peut être approché que par le dialogue; réciproquement, on l'a vu avec Bakhtine, pour qu'il y ait dialogue, il faut que la vérité soit posée comme horizon et comme principe régulateur. Le dogmatisme aboutit au monologue du critique; l'immanentisme (et donc le relativisme), à celui de l'auteur étudié; le pur pluralisme, qui n'est que l'addition arithmétique de plusieurs analyses immanentes, à une coprésence de voix qui est aussi absence d'écoute : plusieurs sujets s'expriment, mais aucun ne tient compte de ses divergences avec les autres. Si l'on accepte le principe de la recherche commune de la vérité, alors on pratique déjà la critique dialogique.

Marc Bloch, l'un des pères de la « nouvelle histoire », affirmait : « Combien il est plus facile d'écrire pour ou contre Luther que de scruter son âme! » J'en suis venu à penser presque le contraire, sauf que je ne vois pas pourquoi les deux devraient être incompatibles. Si on a bien « scruté », on ne doit s'abstenir de se prononcer que si l'objet de l'étude nous est si étranger qu'il n'y a plus rien à dire, sauf à le poser là. Si Luther continue de nous parler, nous devons continuer de lui parler, et donc d'être en accord ou en désaccord avec lui. Ne nous leurrons pas, notre jugement ne découlera pas de notre savoir : celui-ci nous servira à restituer la voix de l'autre, alors que la nôtre trouve sa source en nous-même, dans une responsabilité éthique assumée. Je ne trouve pas que ce soit là chose facile. J'ai écrit deux fois sur Benjamin Constant, en 1968 pour *Critique* et en 1983 pour *Poétique*. La différence entre les deux études et ma préférence pour la seconde ne viennent pas seulement de ce que j'ai fait plus de lectures depuis quinze ans, ou que j'avais alors la généralisation facile; je trouve aussi que dans mon premier texte je n'ai pas de voix séparée : je prétends exposer la pensée de Constant; mais naturellement je veux aussi dire quelque chose, donc j'attribue mes idées à Constant. Le résultat est une voix hybride mais unique, où nos contributions respectives ne sont pas clairement distinguées. Dans l'étude plus récente, je me suis efforcé à la fois de lui rester plus fidèle et de le contredire. C'est un peu comme dans les relations personnelles : l'illusion de la fusion est douce, mais c'est une illusion et sa fin est amère; reconnaître l'autre comme autre permet de mieux l'aimer.

Il n'est possible de changer ainsi notre image de la critique que si l'on transforme en même temps l'idée qu'on se fait de la littérature. Depuis deux cents ans, les romantiques et leurs innombrables héritiers nous ont répété à qui mieux mieux que la littérature était un langage qui trouvait sa fin en lui-même. Il est temps d'en venir (d'en revenir) aux évidences qu'on n'aurait pas dû oublier : la littérature a trait à l'existence humaine, c'est un discours, tant pis pour ceux qui ont peur des grands mots, orienté vers la vérité et la morale. La littérature est un dévoilement de l'homme et du monde, disait Sartre; et il avait raison. Elle ne serait rien si elle ne nous permettait pas de mieux comprendre la vie.

Si l'on a pu ainsi perdre de vue cette dimension essentielle de la littérature, c'est qu'on a réduit au préalable la vérité à la vérification et la morale au moralisme. Les phrases du roman n'aspirent pas à la vérité factuelle, comme le font encore celles de l'histoire; inutile d'enfoncer cette porte ouverte. Le roman n'est pas tenu, même si la chose est parfaitement possible, à décrire les formes spécifiques et historiques d'une société; ce n'est pas non plus de ce côté-ci que se situe sa vérité. Pas plus qu'il ne s'agit de dire, bien entendu, que les idées de l'auteur sont nécessairement justes. Mais la littérature est toujours une tentative de nous révéler « un côté inconnu de l'existence humaine », comme le dit quelque part Kundera, et donc, même si elle n'a aucun privilège lui assurant l'accès à la vérité, elle ne cesse jamais de la chercher.

Littérature et morale : « quelle horreur! » s'exclamera mon contemporain. Moi-même, découvrant autour de moi une littérature asservie à la politique, je croyais qu'il fallait rompre tout lien et préserver la littérature de tout contact avec ce qui n'est pas elle. Mais le rapport aux valeurs lui est inhérent : non seulement parce qu'il est impossible de parler de l'existence sans s'y référer, mais aussi parce que l'acte d'écriture est un acte de communication, ce qui implique la possibilité d'entente, au nom de valeurs communes. L'idéal de l'écrivain peut être l'interrogation, le doute ou le refus; il n'incite pas moins son lecteur à le partager et ne cesse pas d'être « moral » pour autant. La littérature de propagande ou le roman à thèse sont loin d'épuiser les rapports possibles des œuvres aux valeurs; ils n'en représentent même qu'un type aberrant : celui de la vérité dogmatique, détenue d'avance, qu'on chercherait simplement à illustrer. Or la littérature n'est pas un sermon : la différence entre les deux est que ce qui est ici un acquis préalable ne peut être là qu'un horizon.

Un autre me rétorquera : à ce prix la littérature n'est plus que l'expression d'idées qu'il est loisible d'approuver ou de contredire. Mais une telle réaction présuppose que la littérature est une chose une. Or, justement, elle ne l'est pas : elle est un jeu formel de ses éléments *et* en même temps instance idéologique (ainsi que bien d'autres choses); elle n'est pas seulement quête de la vérité, mais elle est cela aussi. Elle se distingue par là des autres arts, comme nous le rappellent Sartre et Bénichou; la raison en est qu'elle « passe » par le langage, au lieu d'être une mise en forme d'une simple matière : les sons, les couleurs ou les mouvements; il ne peut pas y avoir de « littérature abstraite ». Nous disposons aujourd'hui d'un appareil conceptuel suffisant (même s'il est évidemment imparfait) pour décrire les propriétés structurales de la littérature et pour analyser son inscription historique; mais nous ne savons pas parler de ses autres dimensions, et c'est à ce manque qu'il faut remédier. L'erreur d'une critique trop strictement déterministe est de postuler que les œuvres sont l'expression, ou le reflet, de l'idéologie (« dominante », de surcroît); on a beau jeu alors de trouver des exemples qui prouvent le contraire. Mais que la littérature ne soit pas le reflet d'une idéologie extérieure ne prouve pas qu'elle n'a aucun rapport avec l'idéologie : elle ne reflète pas l'idéologie, elle en est une. Il faut savoir ce qu'affirment les œuvres, non *pour* découvrir l'esprit du temps ou *parce qu'*on connaît cet esprit d'avance et qu'on en cherche de nouvelles illustrations; mais parce que cette affirmation est essentielle aux œuvres elles-mêmes.

Et je retrouve encore la proximité entre littérature et

critique. On dit parfois : la première parle du monde, la seconde des livres. Mais cela n'est pas vrai. D'abord, les œuvres elles-mêmes parlent toujours des œuvres antérieures, ou en tous les cas les sous-entendent : le désir d'écrire ne vient pas de la vie mais des autres livres. Ensuite, la critique ne doit, ne peut même se limiter à parler des livres; à son tour, elle se prononce toujours sur la vie. Seulement, lorsqu'elle se limite à la description structurale et à la reconstruction historique, elle aspire à rendre sa voix aussi inaudible que possible (même si elle n'y parvient jamais parfaitement). Or, elle peut, elle doit se souvenir qu'elle est aussi quête de vérité et de valeurs. Le type de vérité auquel accèdent la critique et la littérature est de même nature : la vérité des choses plutôt que celle des faits, la vérité de dévoilement et non la vérité d'adéquation (que la critique connaît aussi mais qui n'en constitue qu'un préalable). On se serait épargné bien des errements, en critique comme en histoire, ou encore en ethnologie, si l'on s'était rendu compte que, tout comme Dostoïevski cherche à dire la vérité de l'homme sans qu'on puisse pour autant affirmer qu'il la possède, le critique aspire à dire la vérité de Dostoïevski avec, en théorie tout au moins, les mêmes chances de succès; en même temps, et inévitablement, il parle lui aussi de l'homme. Sartre disait : « La prose est communication, recherche en commun de la vérité, reconnaissance et réciprocité » (*Saint Genet,* p. 407); mais cette définition s'applique, mot pour mot, à la critique. Bien entendu, critique et littérature ont aussi des différences; mais, dans le contexte actuel, il me semble plus urgent de voir ce qu'elles ont en commun.

La critique dialogique est courante en philosophie, où l'on s'intéresse aux auteurs pour leurs idées, mais peu commune en littérature, où l'on pense qu'il suffit de contempler et d'admirer. Or les formes elles-mêmes sont porteuses d'idéologie, et il existe des critiques littéraires – même s'ils sont rares – qui ne se contentent pas d'analyser, mais qui discutent avec leurs auteurs, démontrant par là que la critique dialogique est également possible dans le champ littéraire : c'est ainsi que René Girard est en désaccord avec les romantiques, ou que Leo Bersani entre en polémique avec les réalistes. Le langage des formes exige, pour être compris, une certaine écoute (on l'a vue illustrée à merveille chez Watt); en son absence, on se rabat sur les énoncés directs de l'auteur ou, pire, de ses personnages. Mais ce n'est pas parce que certains critiques sont sourds que la littérature cesse de parler. Même les œuvres les moins « morales » prennent position par rapport aux valeurs humaines, et donc permettent la confrontation avec la position du critique. Le seul cas où la critique dialogique est impossible est lorsque le critique se trouve en accord complet avec son auteur : aucun débat ne peut avoir lieu. Le dialogue se trouve remplacé par l'apologie. On peut se demander si cette coïncidence parfaite est vraiment possible, mais il est certain que les différences de degré même sont sensibles : il m'est plus facile de dialoguer (quand j'ose me le permettre) avec Diderot, dont je désapprouve les idées, qu'avec Stendhal. Je dois dire aussi, toutefois, que personnellement je suis encore plus mal à l'aise quand l'opposition est radicale : la guerre n'est pas une recherche d'entente.

Il faudrait ajouter que, si le critique est désireux de dialoguer avec son auteur, il ne devrait pas oublier que, son livre à lui publié, il devient à son tour auteur et qu'un lecteur futur cherchera à entrer en dialogue avec lui. L'idéal de la critique dialogique n'est pas la formule oraculaire qui plonge le lecteur dans la stupéfaction, suivie d'un amer mélange d'admiration pour l'auteur et de pitié pour soi. Devenu conscient du dialogue dans lequel il est engagé, le critique ne peut ignorer que ce dialogue particulier n'est qu'un maillon dans une chaîne ininterrompue, puisque l'auteur écrivait en réponse à d'autres auteurs, et qu'on devient soi-même auteur à partir de ce moment-là. La forme même de son écrit n'est donc pas indifférente, puisqu'il faut qu'elle autorise la réponse, et non la seule idolâtrie.

La critique dialogique est-elle plus de « notre temps » que la critique immanente et la critique dogmatique? J'ai peut-être donné l'impression de le croire, en décrivant la relation de celles-ci comme une succession : d'abord l'exégèse patristique, ensuite la philologie. Mais les choses sont bien sûr moins simples, à la fois parce que les sociétés ne sont pas des systèmes idéologiques parfaitement homogènes et parce que l'histoire ne se déroule selon aucun schéma linéaire. On trouve une attitude « immanente » à l'égard de l'art chez Quintilien, et le commentaire « dogmatique » n'est pas mort avec les Pères de l'Église.

Le monde contemporain, en particulier, admet la pluralité des options, et les conceptions chrétienne ou marxiste (« dogmatiques ») voisinent aujourd'hui avec les critiques d'obédience historique ou structurale (« immanentes »). L'être humain n'est jamais entièrement déterminé par son milieu, sa liberté est sa définition même; et je suis une illustration vivante des défaillances de ce déterminisme, puisque je me suis trouvé en l'espace de quelques années attaché, de près ou de loin, à chacune des trois formes de critique que je m'emploie à distinguer ici.

Et pourtant il est clair aussi que, même si l'individualisme peut être détecté jusque dans les écrits des Stoïciens, il prend un nouvel essor à la Renaissance et devient dominant avec le romantisme. Les idéologies d'une société s'articulent hiérarchiquement, et cette articulation est significative; je ne crois pas que ce soit un pur hasard (un pur acte de liberté de la part de quelques individus) si l'idée de la critique dialogique, sous ce nom ou sous un autre, nous vient ici et maintenant; je ne crois pas non plus que son avènement soit dû à ce que nous serions plus intelligents que nos prédécesseurs. Les événements du monde qui nous entoure sont des « conditions favorables » pour cette critique plutôt que ses « causes »; mais je crois y entendre leur écho. Je citerai, en mélangeant délibérément le proche et le lointain, le fondamental et le dérivé : l'absence actuelle de dogme unanimement accepté; notre familiarité accrue avec des cultures autres que la nôtre, due aux médias et aux charters; l'acceptation de la décolonisation, du moins au plan idéologique; un développement sans précédent de la technologie; les massacres d'un type nouveau qu'aura connu le milieu du XXᵉ siècle; la renaissance (la naissance?) de la lutte pour les droits de l'homme.

Un autre indice de cette évolution, je le trouve dans les transformations actuelles de la littérature elle-même (mais je me livre évidemment ici à un choix qui découle de ce que je désire trouver). Ce qui me paraît caractéristique de cette littérature n'est pas l'inépuisable genre autobiographique sous lequel elle croule, mais le fait qu'elle assume ouvertement son hétérogénéité, qu'elle est à la fois fiction et pamphlet, histoire et philosophie, poésie et science. Les écrits de Soljenitsyne et de Kundera, de Günter Grass et de D. M. Thomas ne se laissent pas enfermer dans les conceptions antérieures de la littérature ; ils ne sont ni de « l'art pour l'art » ni de la « littérature engagée » (au sens commun, et non sartrien) ; mais des œuvres qui se savent à la fois construction littéraire et quête de la vérité.

La critique dialogique a existé, bien sûr, de tous les temps (tout comme les autres), et à la rigueur on pourrait se passer de l'adjectif, si l'on admet que le sens de la *critique* est toujours dans le dépassement de l'opposition entre dogmatisme et scepticisme. Mais notre époque – pour combien de temps encore ? – semble offrir une chance à cette forme de pensée ; il faut se dépêcher de la saisir.

Références

(Sauf indication contraire, le lieu de publication est Paris.)

Saint Augustin, *La Doctrine chrétienne (Œuvres,* t. XI), Desclée De Brouwer, 1949.

Bakhtine (M.), *Estetika slovesnogo tvorchestva,* Moscou, 1979; trad. fr., *Esthétique de la création verbale,* Gallimard, 1984.

– *Problemy poétiki Dostoevskogo,* Moscou, 1963; trad. fr., *Problèmes de la poétique de Dostoïevski,* Lausanne, 1970, et *la Poétique de Dostoïevski,* Éd. du Seuil, 1970.

– *Tvorchestvo Fransua Rable i narodnaja kul'tura Srednevekovija i Renesansa,* Moscou, 1965; trad. fr., *l'Œuvre de François Rabelais et la Culture populaire au Moyen Age et sous la Renaissance,* Gallimard, 1970.

– *Voprosy literatury i èstetiki,* Moscou, 1975; trad. fr., *Esthétique et Théorie du roman,* Gallimard, 1978.

Barthes (R.), *Le Bruissement de la langue,* Éd. du Seuil, 1984.

– *Critique et Vérité,* Éd. du Seuil, 1966.

– *Essais critiques,* Éd. du Seuil, 1964.

– *La Chambre claire,* Éd. du Seuil-Gallimard, 1980.

– *Le Grain de la voix,* Éd. du Seuil, 1981.

– « Réponses », *Tel Quel,* 47, 1971.

– *Roland Barthes,* Éd. du Seuil, 1975.

Bénichou (P.), « A propos d'ordinateurs. Note sur l'existence subjective », *Commentaire,* 19, 1982.

– *L'Écrivain et ses Travaux,* Corti, 1967.

– *Le Sacre de l'écrivain,* Corti, 1973.

– *Le Temps des prophètes,* Gallimard, 1977.

– *Morales du grand siècle,* Gallimard, 1948; rééd., 1980.

– « Poétique et métaphysique dans trois sonnets de Mallarmé », in *la Passion de la raison,* PUF, 1983.

– « Réflexions sur la critique littéraire », in *le Statut de la littérature,* Genève, 1982.

Maurice Blanchot (numéro spécial de la revue *Critique,* 229, juin 1966).

Blanchot (M.), *L'Amitié*, Gallimard, 1971.
– *La Part du feu*, Gallimard, 1949.
– *Lautréamont et Sade*, Éd. de Minuit, 1963; rééd., coll. « 10/18 », 1967.
– *Le Livre à venir*, Gallimard, 1959.
– *L'Entretien infini*, Gallimard, 1969.
– *L'Espace littéraire*, Gallimard, 1955.
Bloch (M.), *Apologie pour l'histoire ou Métier d'historien*, A. Colin, 1949.
Boeckh (A.), *Encyclopädie und Methodologie der philologischen Wissenschaften*, Leipzig, 1886.
Brecht (B.), *Gesammelte Werke*, t. VII, *Schriften I, Zum Theater*, Francfort, 1963; trad. fr., *Écrits sur le théâtre*, L'Arche, t. I, 1972, t. II, 1979.
– *Gesammelte Werke*, t. VIII, *Schriften II, Zur Literatur und Kunst, Politik und Gesellschaft*, Francfort, 1967; trad. fr., *Écrits sur la littérature et l'art*, I, *Sur le cinéma*, L'Arche, 1970.
Brik (O.), « Zvukovye povtory » (Les répétitions de sons), in *Poètika*, Petrograd, 1919.
Chklovski (V.), « Iskusstvo kak priëm », *in* Chklovski (V.), *Teorija prozy*, Moscou, 1929; trad. fr., « L'art comme procédé », in *Théorie de la littérature*, Éd. du Seuil, 1965; et *in* Chklovski (V.), *Sur la théorie de la prose*, Lausanne, 1973.
– « O poèzii i zaumnom jazyke » (De la poésie et du langage transmental), in *Sborniki po teorii poèticheskogo jazyka*, Saint-Pétersbourg, 1916.
– « Potebnja », in *Poètika*, Petrograd, 1919.
– « Svjaz' priëmov sjuzhetoslozhenija s obshchimi priëmami stilja », *in* Chklovski (V.), *Teorija prozy*, Moscou, 1929; trad. fr., « Rapports entre procédés d'affabulation et procédés généraux du style », *in* Chklovski (V.), *Sur la théorie de la prose*, Lausanne, 1973.
– *Tretja fabrika* (La troisième fabrique), Moscou, 1926.
– « Voskreshenie slova » (La résurrection du mot), *in* Texte der russischen Formalisten, t. II, Munich, 1972.
Contat (M.) et Rybalka (M.), « Un entretien avec Jean-Paul Sartre », *le Monde*, 14.5.1971.
Döblin (A.), « Der Bau des epischen Werks », *in* Döblin (A.), *Aufsätze zur Literatur*, Olten und Freiburg im Br., 1963; trad. fr., « La structure de l'œuvre épique », *Obliques*, 6-7, 1976 (numéro consacré à *l'Expressionnisme allemand*).
– « Schriftstellerei und Dichting », *in* Döblin (A.), *Aufsätze zur Literatur*, Olten und Freiburg in Br., 1963.
Dostoïevski (F.), *Dnevnik pisatelja za 1873 god, Polnoe sobranie*

sochinenij, t. XXI, Moscou, 1980; trad. fr., *Journal d'un écrivain,* Gallimard, 1951.

Eikhenbaum (B.), « Kak sdelana *Shinel'* Gogolja », in *Poètika,* Petrograd, 1919; trad. fr., « Comment est fait *le Manteau* de Gogol », in *Théorie de la littérature,* Éd. du Seuil, 1965.

– *Moj vremennik* (Mon périodique), Leningrad, 1929.

– « Teorija formal'nogo metoda », *in* Eikhenbaum (B.), *Literatura,* Leningrad, 1927; trad. fr., « La théorie de la méthode formelle », in *Théorie de la littérature,* Éd. du Seuil, 1965.

Ferry (L.) et Renaut (A.), « Philosopher après la fin de la philosophie? », *le Débat,* 28, 1984.

Frye (N.), *Anatomy of Criticism,* Princeton, 1957; trad. fr., *Anatomie de la critique,* Gallimard, 1969.

– *Creation and Recreation,* Toronto, 1980.

– *Fables of Identity: Studies in Poetic Mythology,* New York, 1963.

– *Fearful Symmetry: A Study of William Blake,* Princeton, 1947.

– « Literature and Myth », *in* Thorpe (J.), éd., *Relations of Literary Studies,* New York, 1967; trad. fr., « Littérature et mythe », *Poétique,* 8, 1971.

– « Literature as a Critique of Pure Reason », conférence inédite, septembre 1982.

– *Spiritus Mundi: Essays on Literature, Myth, and Society,* Bloomington, 1976.

– *The Critical Path: An Essay on the Social Context of Literary Criticism,* Bloomington, 1971.

– *The Educated Imagination,* Toronto, 1963; trad. fr., *Pouvoirs de l'imagination,* Montréal, 1969.

– *The Great Code: the Bible and Literature,* New York, 1982; trad. fr., *le Grand Code,* Éd. du Seuil, 1984.

– *The Modern Century,* Toronto, 1967; trad. fr., *la Culture face aux médias,* Montréal, 1968; Mame, 1969.

– *The Stubborn Structure: Essays on Criticism and Society,* Londres, 1970.

– *The Well-Tempered Critic,* Bloomington, 1963.

Goody (J.) et Watt (I.), « The Consequences of Literacy », *Comparative Studies in Society and History,* 5 (1963); rééd. *in* Goody (J.), éd., *Literacy in Traditional Societies,* Cambridge, 1968.

Jakobson (R.), « Co je poesie? », *Volné smêry,* 30 (1933-1934); trad. fr., « Qu'est-ce que la poésie? », *in* Jakobson (R.), *Questions de poétique,* Éd. du Seuil, 1973.

– « Grammatical Parallelism and its Russian Facet », *Language,* 42, 1966; trad. fr., « Le parallélisme grammatical et ses aspects

russes », *in* Jakobson (R.), *Questions de poétique,* Éd. du Seuil, 1973.
- « Linguistics and Poetics », *in* Sebeok (T. A), éd., *Style in Language,* New York, 1960; trad. fr., « Linguistique et poétique », *in* Jakobson (R.), *Essais de linguistique générale,* Éd. de Minuit, 1963.
- « Nachwort », in Jakobson (R.), *Form und Sinn,* Munich, 1974.
- *Novejshaja russkaja poèzija,* Prague, 1921; trad. fr. (extraits), « La nouvelle poésie russe », *in* Jakobson (R.), *Questions de poétique,* Éd. du Seuil, 1973.
Jakoubinski (L.), « O poèticheskom glossemosochetanii » (La combinaison glossématique poétique), in *Poètika,* Petrograd, 1919.
- « O zvukakh stikhotvornogo jazyka » (Des sons du langage versifié), in *Sborniki po teorii poèticheskogo jazyka,* Saint-Pétersbourg, 1916.
Jolles (A.), *Formes simples,* Éd. du Seuil, 1972.
Kruszewski (N.), *Ocherk nauki o jazyke* (Esquisse de la science du langage), Kazan, 1883.
Lanson (G.), *Essais de méthode, de critique et d'histoire littéraire,* Hachette, 1965.
Medvedev (P. N.)/Bakhtine (M.), *Formal'nyj metod v literaturovedenii* (La méthode formelle en études littéraires), Leningrad, 1928.
Moritz (K. P.), *Schriften zur Aesthetik und Poetik,* Tübingen, 1962.
Prétexte : Roland Barthes, coll. « 10/18 », 1978.
Rousseau (J.-J.), « Ébauches des Confessions », *Œuvres complètes,* t. I, Gallimard, coll. « La Pléiade », 1959; rééd., 1976.
Sartre (J.-P.), *Baudelaire,* Gallimard, 1947; rééd., 1963.
- *Les Mots,* Gallimard, 1963.
- *L'Idiot de la famille,* Gallimard, t. I et II, 1971, t. III, 1972.
- *Qu'est-ce que la littérature?* Gallimard, 1948; rééd., 1969.
- *Saint Genet,* Gallimard, 1952.
- *Situations I,* Gallimard, 1947.
Schelling (F. W. J.), *Philosophie der Kunst, Sämmtliche Werke,* t. V, Stuttgart et Augsburg, 1859.
Schlegel (A. W.), *Vorlesungen über schöne Literatur und Kunst,* t. I, *Die Kunstlehre,* Stuttgart, 1963.
Schlegel (F.), « Fragments critiques », *in* Lacoue-Labarthe (P.) et Nancy (J.-L.), éd., *L'Absolu littéraire,* Éd. du Seuil, 1978.
Spinoza, *Traité théologico-politique,* Garnier-Flammarion, 1965.
Todorov (T.), *Introduction à la littérature fantastique,* Éd. du Seuil, 1970.
- *Mikhaïl Bakhtine le principe dialogique,* Éd. du Seuil, 1981.
- *Symbolisme et Interprétation,* Éd. du Seuil, 1978.

RÉFÉRENCES

– *Théories du symbole,* Éd. du Seuil, 1977.

Tomachevski (B.), *Teorija literatury. Poètika,* Moscou, 1927; trad. fr. (extraits), « Thématique », in *Théorie de la littérature,* Éd. du Seuil, 1965.

Tynianov (Ju.), « Literaturnyj fakt », *in* Tynianov (Ju.), *Arkhaisty i novatory,* Leningrad, 1929; trad. fr., « Le fait littéraire », *Manteia,* 9-10, 1970.

– « O literaturnoj èvoljucii », *in* Tynianov (Ju.),*Arkhaisty i novatory,* Leningrad, 1929; trad. fr., « De l'évolution littéraire », in *Théorie de la littérature,* Éd. du Seuil, 1965.

Volochinov (V.)/Bakhtine (M.), *Frejdizm,* Moscou-Leningrad, 1927; trad. fr., *le Freudisme,* Lausanne, 1980.

– *Marksizm i filosofija jazyka,* Leningrad, 1929; trad. fr., *le Marxisme et la Philosophie du langage,* Éd. de Minuit, 1977.

Watt (I.), *Conrad in the Nineteenth Century,* Londres, 1980.

– « Flat-footed and Fly-blown : The Realities of Realism », conférence inédite, mars 1978.

– « Literature and Society », *in* Wilson (R.), éd., *The Arts in Society,* Englewood Cliffs, N. J., 1964.

– « On Not Attempting to Be a Piano », *Profession 78,* New York, 1978.

– « Serious Reflections on *The Rise of the Novel* », *Novel,* 1, 1968.

– « Story and Idea in Conrad's *The Shadow-Line* », *The Critical Quarterly,* 2, 1960; et *in* Shorer (M.), *Modern British Fiction,* New York, 1961.

– « The First Paragraph of *The Ambassadors* », *Essays in Criticism,* 10, 1960; trad. fr., « Le premier paragraphe des *Ambassadeurs* », *Poétique,* 34, 1978.

– *The Rise of the Novel : Studies in Defoe, Richardson and Fielding,* Londres, 1957; trad. fr. du premier chapitre, « Réalisme et forme romanesque », *Poétique,* 16, 1973; rééd. *in* Barthes (R.) *et al., Littérature et Réalité,* Éd. du Seuil, 1982.

Table

COMPOSITION : SOCIÉTÉ NOUVELLE FIRMIN-DIDOT
IMPRESSION : HÉRISSEY À ÉVREUX
DÉPÔT LÉGAL : NOVEMBRE 1984. N° 8510 (1354)